Uil

Voor Carly, Ben, Samantha, Hannah,
en voor Ryan natuurlijk

Carl Hiaasen
Uil

Lemniscaat 8 Rotterdam

Wil je meer weten over onze boeken?
Ga naar www.lemniscaat.nl

NEDERLANDSE
KINDERJURY
2004

© Nederlandse vertaling Aleid van Eekelen-Benders 2003
Omslagontwerp: Isabel Warren-Lynch / © 2002 Alfred A. Knopf
Nederlandse rechten Lemniscaat b.v. Rotterdam 2003
ISBN 90 5637 489 3
Copyright © 2002 by Carl Hiaasen
Oorspronkelijke titel: *Hoot*
Published in the United States by Alfred A. Knopf, an imprint of Random House
Children's Books, a division of Random House, Inc., New York

Druk: Drukkerij C. Haasbeek b.v., Alphen aan den Rijn
Bindwerk: Boekbinderij Spiegelenberg b.v., Zoetermeer

*Dit boek is gedrukt op milieuvriendelijk, chloorvrij gebleekt en verouderingsbestendig
papier en geproduceerd in de Benelux waardoor onnodig milieuverontreinigend
transport is vermeden.*

EEN

Roy zou de vreemde jongen nooit hebben gezien als Dana Matherson er niet was geweest, want gewoonlijk keek hij in de schoolbus niet uit het raam. Hij las liever een strip of een spannend boek tijdens de ochtendrit naar Trace Middle School.

Maar op deze dag, een maandag (dat zou Roy nooit vergeten), greep Dana Matherson Roys hoofd van achteren beet en drukte zijn duimen in Roys slapen alsof hij een voetbal platkneep. De oudste leerlingen moesten eigenlijk achter in de bus blijven, maar Dana was tot vlak achter Roys plaats geslopen om hem klem te zetten. Toen Roy probeerde zich los te wurmen plette Dana zijn gezicht tegen het raam.

En op dat moment, turend door het smoezelige glas, zag Roy de vreemde jongen over de stoep rennen. Hij leek zich te haasten om de schoolbus te halen, die op de hoek was gestopt om nog een paar kinderen te laten instappen.

De jongen was stroblond en mager, en zijn huid was diepbruin van de zon. Zijn gezicht stond ernstig en geconcentreerd. Hij droeg een vaal Miami Heat-basketballhemd, een vuile, kakikleurige korte broek en – dat was het rare – geen schoenen. De zolen van zijn blote voeten waren zo zwart als barbecuekooltjes.

De kledingvoorschriften op Trace Middle School waren wel niet zo verschrikkelijk streng, maar Roy wist bijna zeker dat enige vorm van schoeisel verplicht was. De jongen zou een paar gympies in zijn rugzak gehad kunnen hebben, als hij tenminste een rugzak bij zich had gehad. Geen schoenen, geen rugzak, geen boeken – heel vreemd, op een schooldag.

Roy was ervan overtuigd dat de jongen op blote voeten het zwaar te verduren zou krijgen van Dana en de andere grote jongens als hij de bus inkwam, maar dat gebeurde niet…

Want de jongen bleef rennen – de hoek om, langs de rij scholieren die stonden te wachten om in te stappen, langs de bus zelf. 'Hé, moet je die jongen zien!' wilde Roy roepen, maar zijn mond deed het niet zo goed. Dana Matherson had hem nog steeds van achteren vast en duwde zijn gezicht tegen het raam.

Toen de bus van het kruispunt wegreed, hoopte Roy verderop in de straat nog een glimp van de jongen op te vangen. Maar hij was de stoep afgegaan en liep nu dwars door iemands tuin. Hij rende heel hard, veel harder dan Roy kon lopen, en misschien nog wel harder dan Richard, Roys beste vriend toen hij nog in Montana woonde. Richard was zo snel dat hij met het hardloopteam van de high school mee mocht trainen toen hij nog maar in de zevende klas zat. Dana Matherson dreef zijn nagels in Roys schedel, in de hoop dat hij een keel zou opzetten, maar Roy voelde het nauwelijks. Hij was verschrikkelijk nieuwsgierig geworden toen de rennende jongen de ene keurige groene tuin na de andere doorvloog en steeds kleiner leek te worden naarmate de afstand tussen hem en de schoolbus groter werd.

Roy zag een grote hond met puntige oren, waarschijnlijk een Duitse herder, van een veranda springen en op de jongen afgaan. Het was haast niet te geloven, maar de jongen veranderde niet van richting. Hij sprong over de hond heen, denderde dwars door een prunusheg en verdween toen uit het zicht.

Roy hapte naar adem.

'Wat, koeienkop? Is het zo genoeg?'

Dat was Dana, die in Roys rechteroor siste. Omdat hij de nieuweling in de bus was verwachtte Roy geen hulp van de anderen. Dat 'koeienkop' was zo slap dat het niet de moeite waard was er kwaad om te worden. Iedereen wist dat Dana een idioot was, en hij was ook nog minstens twintig kilo zwaarder dan Roy. Terugvechten zou alleen maar verspilling van energie zijn geweest.

'Genoeg gehad? We horen niks, Tex.' Dana's adem stonk naar oude sigaretten. Roken en kleinere kinderen in elkaar slaan waren zijn twee grootste hobby's.

'Ja, oké,' zei Roy ongeduldig. 'Ik heb genoeg gehad.'

Zodra hij weer los was liet hij het raampje zakken en stak zijn hoofd naar buiten. De vreemde jongen was weg.

Wie was hij? Waarvoor was hij op de loop?

Roy vroeg zich af of een van de anderen in de bus hetzelfde had gezien als hij. Heel even vroeg hij zich af of hij het zelf wel echt had gezien.

Diezelfde ochtend werd een politieagent die David Delinko heette naar het bouwterrein voor een nieuwe vestiging van Moeder Paula's Oud-Amerikaanse Pannenkoekenhuis gestuurd. Het was een stuk grond op de hoek van East Oriole en Woodbury, aan de oostkant van de stad.

Agent Delinko werd opgewacht door een man in een donkerblauwe pick-uptruck. De man, die zo kaal als een biljartbal was, stelde zich voor als Curly. Agent Delinko dacht dat de kale man wel veel gevoel voor humor moest hebben als hij zich 'krullenbol' liet noemen, maar dat viel tegen. Curly was chagrijnig en er kon geen lachje af.

'Wacht maar tot je ziet wat ze gedaan hebben,' zei hij tegen de agent.

'Wie?'

'Kom maar mee,' zei de man die Curly heette.

Agent Delinko liep achter hem aan. 'De centrale zei dat u aangifte van vandalisme wilde doen.'

'Klopt,' gromde Curly over zijn schouder.

De agent zag niet wat er te vernielen viel op het terrein, dat niet meer was dan een vlakte vol miezerig onkruid. Curly bleef staan en wees naar een kort stuk hout dat op de grond lag. Aan het ene uiteinde zat een felroze plastic lint vastgebonden. Het andere uiteinde was puntig; er zat grijze aarde aan.

'Ze hebben ze eruit getrokken,' zei Curly.

'Is dat een piketpaaltje?' vroeg agent Delinko.

'Ja. Ze hebben ze uit de grond gerukt, allemaal.'

'Het zijn vast kinderen geweest.'

'En toen hebben ze ze alle kanten op gesmeten,' zei Curly met een zwaai van zijn vlezige arm, 'en toen hebben ze de gaten dichtgegooid.'

'Dat is wel vreemd,' merkte de agent op. 'Wanneer is dat gebeurd?'

'Afgelopen nacht of vanochtend vroeg,' zei Curly. 'Misschien lijkt het niks bijzonders, maar het gaat wel even duren tot we de boel weer hebben uitgezet. In de tussentijd kunnen we niet beginnen met vrijmaken of nivelleren of niks. De graafmachines en bulldozers zijn al gehuurd, en die staan dus voorlopig stil. Ik weet best dat het er niet uitziet als de misdaad van de eeuw, maar toch –'

'Ik snap het,' zei agent Delinko. 'Hoe groot schat u de financiële schade?'

'Schade?'

'Ja. Om in mijn rapport te zetten.' Hij raapte het piketpaaltje op en bekeek het. 'Het is niet echt kapot, hè?'

'Eh, nee –'

'Waren er ook paaltjes kapotgemaakt?' vroeg agent Delinko. 'Hoeveel kosten die dingen per stuk – een dollar of twee?'

De man die Curly heette begon zijn geduld te verliezen. 'Ze hebben geen enkel paaltje kapotgemaakt,' zei hij nors.

'Niet één?' De agent trok zijn wenkbrauwen op. Hij probeerde te bedenken wat hij in zijn rapport moest zetten. Zonder financiële schade was het geen vandalisme en als er niets op het terrein kapot of beschadigd was…

'Wat ik duidelijk probeer te maken,' zei Curly geïrriteerd, 'het gaat er niet om dat ze de paaltjes verruïneerd hebben, het gaat erom dat ze ons hele bouwschema onderuit hebben gehaald. En dát gaat een aardige cent kosten.'

Agent Delinko nam zijn pet af en krabde op zijn hoofd. 'Daar moet ik eens even over nadenken,' zei hij.

Toen hij naar de politieauto terugliep, struikelde de agent en viel. Curly greep hem onder zijn ene arm en hees hem weer overeind. Allebei de mannen geneerden zich een beetje.

'Die stomme uilen ook,' zei Curly.

De agent veegde de aarde en de graspollen van zijn uniform. 'Uilen, zei u?'

Curly wees naar een gat in de grond. Het was zo groot als een van Moeder Paula's beroemde boekweitpannenkoekjes. Bij de ingang was een bergje los wit zand te zien.

'Daar ben je over gestruikeld,' zei Curly.

'Woont daar een uil in?' Agent Delinko bukte om het gat te bestuderen. 'Hoe groot zijn die dan?'

'Zoiets als een bierblikje.'

'Ga weg!' zei agent Delinko.

'Maar ik heb er nog nooit eentje gezien, officieel gesproken.'

Toen hij bij de politieauto terug was haalde de agent zijn klembord te voorschijn en begon zijn rapport te schrijven. Curly's echte naam bleek Leroy Branitt te zijn, en hij was 'technisch opzichter' van het bouwproject. Hij trok een nijdig gezicht toen hij de agent gewoon 'voorman' zag opschrijven.

Agent Delinko legde uit waarom hij de klacht niet als vandalisme kon noteren. 'Dan kaatst mijn brigadier het weer naar me terug omdat er, technisch gesproken, niet echt sprake is van vandalisme. Er is niets kapotgemaakt. Er zijn een paar kinderen het terrein opgekomen die een stel paaltjes uit de grond hebben getrokken.'

'Hoe weet je dat het kinderen waren?' sputterde Curly.

'Nou, wie zouden het anders zijn geweest?'

'Maar dat ze de gaten hebben opgevuld en de paaltjes in het rond hebben gesmeten, alleen maar om te maken dat wij het hele terrein opnieuw moeten uitzetten, wat dacht je daar dan van?'

Dat vond de agent ook wel vreemd. Kinderen die kattenkwaad uithaalden, deden gewoonlijk niet zoveel moeite.

'Zijn er mensen die u speciaal verdenkt?'

Curly gaf toe dat hij niemand kon bedenken. 'Maar oké, zeg dat het kinderen waren. Is het daarom dan geen delict?'

'Natuurlijk is het een delict,' antwoordde agent Delinko. 'Ik zeg alleen dat het officieel geen vandalisme is. Het is wederrechtelijk betreden met kwade opzet.'

'Mij best.' Curly haalde zijn schouders op. 'Zolang ik maar een kopie van je rapport krijg voor de verzekering. Dan zijn we tenminste gedekt voor de verloren tijd en de onkosten.'

Agent Delinko gaf hem een kaartje met het adres van het hoofdbureau van politie en de naam van de beambte die de rapporten moest archiveren. Curly stopte het kaartje in de borstzak van zijn voormannenoverhemd.

De agent zette zijn zonnebril op en stapte in zijn auto, die zo heet was als een steenoven. Hij draaide snel het sleuteltje om in het contact en zette de airconditioner op de hoogste stand. Terwijl hij zijn veiligheidsgordel vastmaakte, zei hij: 'Nog één vraagje, meneer Branitt. Gewoon uit nieuwsgierigheid.'

'Laat maar horen,' zei Curly, zijn voorhoofd afvegend met een gele zakdoek.

'Het gaat over die uilen.'

'Oké.'

'Wat gaat daarmee gebeuren?' vroeg agent Delinko. 'Als jullie met die bulldozers aan de gang gaan, bedoel ik.'

Curly de voorman grinnikte. 'Grapje, zeker. Welke uilen?'

De hele dag moest Roy steeds aan de vreemde rennende jongen denken. Tussen de lessen speurde hij de gezichten in de gangen af om te zien of de jongen soms later nog naar school was gekomen. Misschien was hij nog gauw even op weg naar huis geweest, dacht Roy, om zich te verkleden en schoenen aan te trekken.

Maar hij zag niemand die leek op de jongen die over die grote hond met zijn puntige oren heen was gesprongen. Misschien is hij nog steeds aan het rennen, dacht Roy terwijl hij zijn lunch at. Florida was ideaal voor hardlopen; Roy had nog nooit een gebied gezien waar het zo vlak was. In Montana, waar hij eerst had gewoond, had je steile, rotsige bergen die een paar duizend meter hoog reikten, tot in de wolken. Hier waren de enige heuvels door de mens gemaakte viaducten in snelwegen – gelijkmatige, zacht glooiende hellingen van beton.

Toen dacht hij aan de hitte en de vochtigheid, die op sommige dagen zijn longen haast naar buiten leken te zuigen. Een lang stuk hardlopen in de zon zou in Florida een kwelling zijn, dacht hij. Je zou spijkerhard moeten zijn om daar een gewoonte van te maken.

Een jongen die Garrett heette kwam tegenover Roy zitten. Roy knikte hallo en Garrett knikte hallo, en toen aten ze allebei verder van de plakkerige macaroni op hun lunchblad. Omdat hij nieuw was op school zat Roy altijd in zijn eentje, aan het uiteinde van de tafel, als hij in de kantine was. Hij was het gewend een nieuweling te zijn; Trace Middle was al de zesde school waar hij op zat. Coconut Cove was de tiende plaats waar hij met zijn ouders woonde, voor zover Roys herinnering terugging.

Roys vader werkte voor de regering. Volgens zijn moeder verhuisden ze zo vaak omdat zijn vader heel goed was in zijn werk (wat dat dan ook precies mocht zijn) en vaak promotie maakte. Zo werd je kennelijk door de regering beloond voor goed werk: je werd van de ene plaats naar de andere gestuurd.

'Hé,' zei Garrett. 'Heb jij een skateboard?'

'Nee, maar wel een snowboard.'

Garrett gaf een loei. 'Waarvoor?'

'Waar ik eerst woonde, daar sneeuwde het vaak,' zei Roy.

'Je moet leren skateboarden. Dat is kicken, man.'

'O, ik kan het wel. Ik heb er alleen geen.'

'Dan moet je er een kopen,' zei Garrett. 'Ik ga altijd met mijn vrienden in de grote winkelcentra. Ga maar eens mee.'

'Dat lijkt me leuk.' Roy deed zijn best enthousiast te klinken. Hij hield niet zo van winkelcentra, maar hij vond het aardig dat Garrett hem erbij probeerde te halen.

Garrett was een heel matige leerling, maar hij was populair op school omdat hij de clown uithing in de klas en altijd scheetgeluiden maakte als de leraar hem een beurt gaf. Garrett was de kampioen nepscheten laten van Trace Middle. Zijn beroemdste truc was om als ze bij de dagopening trouw aan de vlag zwoeren de eerste regel in winden te laten horen.

Het grappige was dat Garretts moeder decaan op Trace Middle was. Roy nam aan dat ze haar opvoedkundige vaardigheden elke dag op school opgebruikte en als ze thuiskwam geen puf meer had om zich nog druk te maken om Garrett.

'Ja, we skaten net zolang tot de bewakers ons wegsturen,' zei Garrett, 'en dan gaan we op de parkeerplaatsen tot we daar ook weggejaagd worden. Dat is mooi, joh.'

'Leuk,' zei Roy, hoewel in een winkelcentrum rondhangen hem een behoorlijk duffe manier leek om je zaterdagmorgen door te brengen. Hij verheugde zich al op zijn eerste tocht in een luchtboot in de Everglades. Zijn vader had beloofd dat ze dat een van de komende weekenden zouden gaan doen.

'Zijn er nog meer scholen hier in de buurt?' vroeg Roy.

'Hoezo? Ben je deze nou al zat?' Garrett lachte kakelend en stak zijn lepel in een brok kleffe appelcake.

'Helemaal niet. Ik vroeg het omdat ik vanochtend zo'n vreemde jongen zag bij een van de bushaltes. Alleen stapte hij niet in de bus, en hij is ook niet hier op school,' zei Roy. 'Daarom dacht ik dat hij zeker niet op Trace zit.'

'Ik ken niemand die niet op Trace zit,' zei Garrett. 'Er is een katholieke school in Fort Myers, maar dat is een heel eind weg. Had hij een schooluniform aan, die jongen? Want van de nonnen moet iedereen een uniform aan.'

'Nee, hij had beslist geen uniform aan.'

'Weet je zeker dat hij op de middle school zit? Misschien zit hij op Graham High,' opperde Garrett. Graham was de dichtstbijzijnde openbare high school voor Coconut Cove.

'Daar leek hij me niet groot genoeg voor,' zei Roy.

'Misschien was het een dwerg.' Garrett grinnikte en maakte een scheetgeluid met zijn ene wang.

'Dat denk ik niet,' zei Roy.

'Je zei toch dat het een vreemde jongen was?'

'Hij had geen schoenen aan,' zei Roy, 'en hij rende als een gek.'

'Misschien zat er iemand achter hem aan. Leek hij bang?'

'Niet echt.'

Garrett knikte. 'Graham High School. Wedden om vijf dollar?'

Roy vond het nog steeds niet erg waarschijnlijk. De lessen op Graham High begonnen vijfenvijftig minuten vroeger dan die op Trace; de leerlingen van die school waren allang niet meer op straat als de schoolbussen van Trace hun route beëindigden.

'Dan was hij aan het spijbelen. Dat doen er zoveel,' zei Garrett. 'Wil jij je toetje?'

Roy schoof zijn blad over de tafel. 'Spijbel jij wel eens?'

'Eh, ja,' zei Garrett sarcastisch. 'Zo vaak.'

'Ook wel eens in je eentje?'

Garrett dacht even na. 'Nee. Altijd met mijn vrienden samen.'

'Zie je wel. Dat bedoel ik.'

'Misschien is die knul gewoon gestoord. Nou en?'

13

'Of het is een outlaw.'

Garrett keek ongelovig. 'Een outlaw? Zoals Jesse James, bedoel je?'

'Nee, niet precies,' zei Roy, hoewel die jongen wel een beetje een wilde blik in zijn ogen had gehad.

Garrett lachte weer. 'Een outlaw – waar haal je het vandaan, Eberhardt. Aan jouw fantasie zit ook een steekje los.'

'Ja hoor,' zei Roy, maar in gedachten was hij al met een plan bezig. Hij was vastbesloten de rennende jongen te vinden.

TWEE

De volgende ochtend ruilde Roy in de schoolbus met iemand van plaats om dichter bij de voordeur te zitten. Toen de bus de straat inreed waar hij de rennende jongen had gezien deed Roy zijn rugzak om en tuurde uit het raam, wachtend. Zeven rijen verder naar achteren was Dana Matherson een zesdeklasser aan het treiteren die Louis heette. Louis kwam van Haïti en Dana wist van geen ophouden.

Toen de bus op het kruispunt stilhield, stak Roy zijn hoofd uit het raampje om de hele straat door te kijken. Niemand was aan het rennen. Er stapten zeven kinderen in, maar de vreemde jongen zonder schoenen was er niet bij.

De volgende dag was het hetzelfde verhaal, en de dag daarna ook. Op vrijdag had Roy het min of meer opgegeven. Hij zat op de tiende rij vanaf de deur een nummer van de X-mannen te lezen toen de bus de bekende hoek om reed en vaart begon te minderen. Een beweging in zijn ooghoek maakte dat Roy opkeek uit zijn strip – en daar was hij op de stoep, en hij rende weer! Hetzelfde basketbalhemd, dezelfde smerige korte broek, dezelfde zwarte voetzolen.

Terwijl de remmen van de bus piepten, greep Roy zijn rugzak van de vloer en stond op. Op hetzelfde ogenblik sloten twee grote zweethanden zich om zijn nek.

'Waar wou je heen, koeienkop?'

'Laat los,' bracht Roy uit, terwijl hij zich vrij probeerde te wurmen. De greep om zijn nek werd steviger. Hij voelde Dana's asbak-adem tegen zijn rechteroor: 'Hoezo heb je je laarzen niet aan vandaag? Wat moet zo'n cowboy als jij op Air Jordans?'

'Het zijn Reeboks,' piepte Roy.

De bus stond stil, en de eerste leerlingen stapten al in. Roy was razend. Hij moest snel bij de deur zien te komen, voor de chauffeur hem sloot en de bus weer doorreed.

Maar Dana liet niet los, hij drukte zijn vingers in Roys luchtpijp. Roy kreeg bijna geen lucht, en door zijn geworstel werd het alleen maar erger.

'Moet je hem zien,' zei Dana grinnikend vanachter hem. 'Zo rood als een tomaat!'

Roy kende de regels en wist dat vechten in de bus verboden was, maar hij kon niets anders verzinnen. Hij balde zijn rechtervuist en stootte hem blindelings over zijn schouder, zo hard hij kon. De stomp landde op iets vochtigs en rubberachtigs.

Er klonk een gorgelende kreet; toen vielen Dana's handen weg van Roys nek. Hijgend schoot Roy naar de deur, net toen de laatste leerling, een lang meisje met blonde krullen en een bril met een rood montuur, het trapje opkwam. Roy wrong zich onhandig langs haar heen en sprong op de grond.

'Waar wou jij heen?' vroeg het meisje.

'Hé, wacht!' schreeuwde de buschauffeur, maar Roy was al weg.

De rennende jongen was hem een heel eind voor, maar Roy dacht dat hij dichtbij genoeg zou kunnen blijven om hem niet uit het oog te verliezen. Hij wist dat de jongen niet eeuwig op volle snelheid kon blijven lopen.

Hij volgde hem een heel eind – over hekken, dwars door struiken, daarbij keffende honden, gazonsproeiers en vijvers ontwijkend. Na een poosje voelde Roy zich moe worden. Dat joch is niet te geloven, dacht hij. Misschien traint hij voor het hardloopteam.

Eén keer meende Roy de jongen over zijn schouder te zien kijken, alsof hij wist dat hij achtervolgd werd, maar Roy was er niet zeker van. De jongen was hem nog steeds een heel eind voor, en Roy hapte naar lucht als een forel op het droge. Zijn shirt was doorweekt; het zweet druppelde van zijn voorhoofd en prikte in zijn ogen.

Het laatste huis van de wijk waren ze nog aan het bouwen, maar de jongen zonder schoenen vloog zonder ergens op te letten over het hout en de losse spijkers heen. Drie mannen die aan een muur bezig waren, stopten met werken en schreeuwden hem na, maar de jongen hield geen seconde in. Een van diezelfde bouwvakkers deed met één arm een uitval naar Roy maar miste.

Opeens was er weer gras onder Roys voeten – het groenste, zachtste gras dat hij ooit had gezien. Het drong tot hem door dat hij op een golfterrein was, en dat de blonde jongen midden over een lange, dichtbegroeide baan rende.

Aan de ene kant stond een rij hoge Australische pijnbomen en aan de andere kant lag een troebel kunstmatig meer. Vóór zich kon Roy vier figuurtjes in felgekleurde kleren zien; ze maakten gebaren naar de jongen op blote voeten toen hij langsrende.

Roy klemde zijn tanden op elkaar en rende door. Zijn benen leken wel van nat cement en zijn longen stonden in brand. Een meter of honderd voor hem uit sloeg de jongen scherp rechtsaf en verdween tussen de pijnbomen. Roy gaf niet op en ging ook op de bomen af.

Er klonk een kwade kreet en Roy zag dat de mensen op de baan nu ook naar hem stonden te zwaaien. Hij rende gewoon door.

Enkele ogenblikken later flitste in de verte zonlicht op metaal, gevolgd door een gedempt *tsjak*. Roy zag de golfbal pas toen hij anderhalve meter voor hem omlaag kwam. Hij had geen tijd om te bukken of opzij te duiken. Hij kon alleen maar zijn hoofd wegdraaien en zich schrap zetten voor de klap.

De bal raakte hem vol boven zijn linkeroor, en eerst deed het niet eens pijn. Toen voelde Roy zichzelf wankelen en rondtollen terwijl er een schitterend vuurwerk losbarstte in zijn schedel. Hij voelde zichzelf vallen – het leek een eeuwigheid te duren – en hij viel zo zacht als een regendruppel op fluweel.

Toen de golfspelers kwamen aanrennen en Roy op zijn buik in de bunker zagen liggen, dachten ze dat hij dood was. Roy hoorde hun ontstelde kreten maar hij bewoog zich niet. Het suikerwitte zand voelde koel aan tegen zijn brandende wangen en hij was heel slaperig.

Dat gepest met dat 'koeienkop' – ach, dat was mijn eigen schuld, dacht hij. Hij had de kinderen op school verteld dat hij uit het vee-gebied Montana kwam, terwijl hij eigenlijk geboren was in Detroit, Michigan. Zijn vader en moeder waren uit Detroit vertrokken toen Roy nog maar een baby was, en daarom leek het stom om te zeggen dat hij daarvandaan kwam. Voor zijn eigen gevoel had hij niet echt een plaats waar hij vandaan kwam; ze waren nooit ergens zo lang blijven wonen dat hij zich er helemaal thuis was gaan voelen.

Van alle plaatsen waar de familie Eberhardt had gewoond was Bozeman, Montana, Roy het liefst. De bergen met hun puntige toppen, de kronkelende groene rivieren, de lucht die zo blauw was dat het wel een schilderij leek – hij had nooit gedacht dat het ergens zo mooi kon zijn. Ze bleven er twee jaar, zeven maanden en elf dagen wonen; Roy had er altijd willen blijven.

Op de avond dat zijn vader aankondigde dat ze naar Florida gingen verhuizen, sloot Roy zichzelf op in zijn slaapkamer en huilde. Zijn moeder betrapte hem toen hij het raam uitklom met zijn snowboard en een plastic gereedschapskist. Daarin had hij ondergoed, sokken en een fleece ski-jack had gestopt, en ook nog een spaarobligatie van honderd dollar die hij van zijn opa voor zijn verjaardag had gekregen.

Zijn moeder verzekerde hem dat hij het fijn zou vinden in Florida. Iedereen in Amerika wil daarheen, zei ze, zo zonnig en mooi is het daar. Toen stak Roys vader zijn hoofd om de deur en zei, hoewel zijn enthousiasme niet erg gemeend klonk: 'En vergeet Disney World niet.'

'Disney World is een smerig gat,' zei Roy kortaf, 'vergeleken bij Montana. Ik wil hier blijven.'

Zoals gewoonlijk was het twee tegen één.

Dus toen de klassenleraar op Trace Middle de nieuwe leerling vroeg waar hij vandaan kwam, ging hij staan en zei trots: uit Bozeman, Montana. Het was het antwoord dat hij ook in de schoolbus gaf toen Dana Matherson hem op zijn eerste dag aansprak, en vanaf dat ogenblik was Roy 'koeienkop' of 'Tex'.

Het was zijn eigen schuld. Had hij maar Detroit moeten zeggen.

'Waarom heb je Dana Matherson geslagen?' vroeg Viola Hennepin. Zij was de onderdirectrice van Trace Middle, en haar schemerige kleine kantoortje was de plek waar Roy nu zat, in afwachting van zijn straf.

'Omdat hij mijn keel dichtkneep.'

'Dana Matherson geeft een heel andere versie van wat er gebeurd is, Roy.' Alles aan juffrouw Hennepins gezicht was ontzettend puntig. Ze was lang en mager en ze keek altijd heel streng. 'Hij zegt dat je hem zonder enige aanleiding aanviel.'

'Ja hoor,' zei Roy. 'Ik kies altijd de grootste, gemeenste jongen in de bus en sla hem op zijn gezicht, gewoon voor de lol.'

'Sarcasme stellen we hier op Trace Middle niet op prijs,' zei juffrouw Hennepin. 'Weet je wel dat je zijn neus hebt gebroken? Wees maar niet verbaasd als je ouders een rekening van het ziekenhuis krijgen.'

'Die eikel wurgde me bijna,' zei Roy.

'O ja? Jullie buschauffeur, meneer Kesey, zegt dat hij niets heeft gezien.'

'Het is mogelijk dat hij net op het verkeer lette,' zei Roy.

Juffrouw Hennepin glimlachte dunnetjes. 'Je bent knap brutaal, Roy Eberhardt. Wat vind jij dat we moeten doen met zo'n gewelddadige jongen als jij?'

'Matherson is degene die in de gaten gehouden moet worden! Hij zit alle kleinere kinderen in de bus te pesten.'

'Er heeft nog nooit iemand anders geklaagd.'

'Omdat ze bang voor hem zijn,' zei Roy. Dat was ook de reden waarom niemand van de anderen zijn verhaal bevestigd had. Niemand wilde Dana erbij lappen en hem de volgende dag in de bus weer onder ogen moeten komen.

'Als jij niets verkeerds hebt gedaan, waarom ging je er dan vandoor?' vroeg juffrouw Hennepin.

Roy zag dat er één pikzwarte haar boven haar bovenlip groeide. Hij vroeg zich af waarom ze die niet had uitgetrokken – zou ze hem expres door laten groeien?

'Ik heb je iets gevraagd, Roy Eberhardt.'

'Ik ging ervandoor omdat ik ook bang voor hem ben,' antwoordde Roy.

'Of misschien was je bang voor wat er zou gebeuren als het incident gemeld werd.'

'Absoluut niet.'

'Volgens de regels,' zei juffrouw Hennepin, 'kun je tijdelijk van school gestuurd worden.'

'Hij kneep mijn keel dicht. Wat had ik dan moeten doen?'

'Ga eens staan, alsjeblieft.'

Roy deed wat hem gezegd werd.

'Kom eens wat dichterbij,' zei juffrouw Hennepin. 'Hoe is het met je hoofd? Is dit de plek waar je door die golfbal bent geraakt?' Ze raakte de gevoelige, paarse bobbel boven zijn oor aan.

'Ja, juffrouw.'

'Je hebt geluk gehad. Het had veel erger kunnen zijn.'

Hij voelde de magere vingers van juffrouw Hennepin de kraag van zijn shirt omlaag vouwen. Ze kneep haar kille grijze ogen een stukje dicht en tuitte haar wasachtige lippen in ontsteltenis.

'Hmm,' zei ze, met een blik als een buizerd.

'Wat is er?' Roy deinsde achteruit, buiten haar bereik.

De onderdirectrice schraapte haar keel en zei: 'Die bult op je hoofd wijst erop dat je je lesje op een gevoelige manier hebt geleerd. Klopt dat?'

Roy knikte. Het had geen zin een discussie aan te gaan met iemand die één lange vette haar op haar bovenlip liet groeien. Juffrouw Hennepin bezorgde Roy kippenvel.

'Daarom heb ik besloten je niet van school te sturen,' zei ze, met een potlood tegen haar kin tikkend. 'Maar ik ontzeg je voorlopig wel de toegang tot de schoolbus.'

'Echt waar?' Roy schoot bijna in de lach. Wat een fantastische straf: niet met de schoolbus mee, geen Dana!

'Voor twee weken,' zei juffrouw Hennepin.

Roy deed zijn best beteuterd te kijken. 'Twee hele weken?'

'En verder wil ik dat je een excuusbrief aan Dana Matherson schrijft. Een *oprechte* brief.'

'Goed,' zei Roy, 'maar wie moet hem dan helpen die te lezen?'

Juffrouw Hennepin klikte haar puntige gele tanden op elkaar.

'Daag me niet te ver uit, Roy.'

'Nee, juffrouw.'

Zodra hij haar kantoortje uit was, rende Roy naar de jongenstoiletten. Hij klom op een van de wasbakken waar een spiegel boven hing en trok zijn kraag omlaag om te zien waar juffrouw Hennepin zo naar had gestaard.

Hij grinnikte. Duidelijk zichtbaar zaten aan allebei de kanten van zijn adamsappel vier blauwe plekken, zo groot als een vingerafdruk. Hij draaide rond op de rand van de wasbak, en toen hij over zijn schouder gluurde, kon hij achter in zijn nek twee bijpassende duimafdrukken zien.

21

Dank je wel, stomme Dana, dacht hij. Nu weet juffrouw Hennepin dat ik de waarheid vertel.

Nou ja, het grootste deel van de waarheid.

Hij had het stuk over de vreemde rennende jongen weggelaten. Waarom wist hij niet goed, maar het leek hem een van die dingen die je alleen maar aan een onderdirectrice vertelde als het echt niet anders kon.

Hij had de lessen van die ochtend en het grootste deel van de lunchpauze gemist. Haastig liep hij de kantine door tot hij een lege tafel vond. Zittend met zijn rug naar de deur werkte hij een chiliburger en een pakje lauwe melk naar binnen. Als toetje was er een droge chocoladekoek, zo groot als een hockeypuck en ongeveer even lekker.

'Smerig,' mompelde hij. De oneetbare koek maakte een dof geluid toen hij op het bord landde. Roy pakte zijn blad en stond op om weg te gaan. Hij schrok toen er met kracht een hand op zijn schouder neerkwam. Hij durfde niet te kijken – stel dat het Dana Matherson was?

Het absolute toppunt, dacht Roy somber, van een absoluut afschuwelijke dag.

'Zitten,' zei een stem achter hem, beslist niet die van Dana.

Roy veegde de hand van zijn schouder en keek om. Daar stond, met haar armen over elkaar, het lange blonde meisje met de rode bril dat hij in de schoolbus was tegengekomen. Ze keek bijzonder onvriendelijk.

'Je hebt me vanochtend bijna omvergelopen,' zei ze.

'Sorry.'

'Waarom liep je zo hard?'

'Zomaar.' Roy probeerde langs haar heen te komen, maar dit keer deed ze een stapje opzij zodat ze voor hem stond en hem de weg versperde.

'Je had me flink pijn kunnen doen,' zei ze.

Roy voelde zich niet op zijn gemak nu hij zo werd aangesproken door een meisje. Het was niet bepaald een situatie waarin je door de andere jongens gezien wilde worden. Wat erger was, hij was echt een beetje bang voor haar. Het meisje met de krullen was groter dan hij, en ze had brede schouders en gespierde benen. Ze zag eruit of ze veel aan sport deed – voetbal waarschijnlijk, of volleybal.

'Ja, maar ik had een jongen op zijn neus gestompt –' begon hij.

'O, daar heb ik alles over gehoord,' zei ze spottend, 'maar dat was niet de reden waarom je ervandoor ging, of wel?'

'Jawel hoor.' Roy vroeg zich af of ze hem van iets anders ging beschuldigen, dat hij haar lunchgeld uit haar rugzak had gestolen of zo.

'Je liegt.' Ze greep brutaal de andere kant van zijn lunchblad vast, om te voorkomen dat hij doorliep.

'Laat los,' zei Roy scherp. 'Ik ben al laat.'

'Kalm maar. Je hebt nog zes minuten voor de bel gaat, koeienkop.' Ze keek alsof ze hem best een dreun in zijn maag zou willen verkopen. 'En nou de waarheid. Je zat achter iemand aan, hè?'

Roy was opgelucht dat hij niet van een ernstig vergrijp werd beschuldigd. 'Heb jij hem ook gezien? Die jongen zonder schoenen?'

Terwijl ze nog steeds Roys blad vasthield, deed het meisje een stap voorwaarts en dwong hem achteruit.

'Ik heb een goeie raad voor je,' zei ze zacht.

Roy keek ongerust om zich heen. Ze waren de enigen die nog in de kantine waren.

'Luister je?' Ze duwde hem verder naar achteren.

'Ja.'

'Mooi zo.' Ze hield pas op met duwen toen ze Roy met zijn blad tegen de muur klem had gezet. Toen keek ze hem over haar rode bril heen dreigend aan en zei: 'Van nu af aan bemoei jij je met je eigen zaken, begrepen?'

Roy was bang, dat moest hij toegeven. De rand van het blad sneed in zijn ribbenkast. Die meid was een beuker.

'Jij hebt die jongen ook gezien, hè?' fluisterde hij.

'Ik weet niet waar je het over hebt. Bemoei je met je eigen zaken, als je weet wat goed voor je is.'

Ze liet zijn blad los en draaide zich om.

'Wacht!' riep Roy haar na. 'Wie is hij?'

Maar het meisje met de krullen antwoordde niet; ze keek zelfs niet om. Terwijl ze wegbeende, hief ze alleen maar haar rechterarm op en stak haar middelvinger in de lucht.

DRIE

Agent Delinko beschermde zijn ogen tegen de felle middagzon.

'Je hebt er de tijd voor genomen,' zei Curly, de voorman van de bouwplaats.

'Er was een kettingbotsing van vier auto's in het noorden van de stad,' legde de agent uit, 'met gewonden.'

Curly snoof. 'Zal best. Maar goed, je ziet wel wat ze hebben gedaan.'

Weer hadden de indringers systematisch ieder piketpaaltje verwijderd en alle gaten dichtgegooid. Agent Delinko was niet de slimste thuis, maar hij begon te vermoeden dat dit niet zomaar een streek van jeugdige grappenmakers was. Misschien koesterde iemand een wrok tegen Moeder Paula en haar wereldberoemde pannenkoeken.

'Dit keer kun je echt vandalisme in je rapport zetten,' zei Curly scherp. 'Dit keer hebben ze particulier eigendom beschadigd.'

Hij ging agent Delinko voor naar de zuidwesthoek van het terrein, waar een dieplader geparkeerd stond. Alle vier de banden waren plat.

Curly hief zijn handen, met de palmen omhoog, en zei: 'Alsjeblieft. Eén zo'n band is al honderdvijftig dollar waard.'

'Wat is er gebeurd?' vroeg de politieman.

'De zijkanten zijn doorgesneden.' Curly's glimmende hoofd ging verontwaardigd op en neer.

Agent Delinko ging op zijn hurken zitten en bekeek de banden van de truck. Hij kon geen messporen in het rubber ontdekken.

25

'Volgens mij heeft iemand gewoon de lucht eruit laten lopen,' zei hij.

Curly mompelde een antwoord dat moeilijk te verstaan was.

'Maar ik zal toch een rapport opmaken,' beloofde de agent.

'Ik heb een beter idee,' zei Curly. 'Wat dacht je ervan als jullie hier in de buurt eens wat extra patrouilleerden?'

'Ik zal het er met mijn brigadier over hebben.'

'Dat zou ik maar doen,' mopperde Curly. 'Ik weet zelf ook wel een paar mensen om mee te praten. Dit wordt belachelijk.'

'Ja.' Agent Delinko zag dat er drie mobiele latrines achter op de dieplader waren vastgesnoerd. Onwillekeurig glimlachte hij om de naam die op de blauwe deuren geschilderd stond: PLEEMOBIEL.

'Voor de bouwploeg,' legde Curly uit, 'voor als we aan dit project beginnen. *Als* we er ooit aan beginnen.'

'Hebt u ze gecontroleerd?' vroeg de politieman.

Curly fronste zijn wenkbrauwen. 'Die wc's? Waarvoor?'

'Je weet maar nooit.'

'Niemand die bij zijn verstand is haalt iets uit met een wc.' De voorman snoof.

'Mag ik eens kijken?' vroeg agent Delinko.

'Je gaat je gang maar.'

De agent klom op de bak van de truck. Vanbuiten leek er niemand aan de mobiele toiletten te hebben gezeten. De riemen waarmee ze vastzaten waren strak aangehaald, en de deuren van alle drie de hokjes zaten dicht. Agent Delinko opende er een en stak zijn hoofd naar binnen. Het rook er sterk naar ontsmettingsmiddel.

'En?' riep Curly naar boven.

'Alles oké,' antwoordde de agent.

'Het punt is, er valt niet veel te vernielen aan zo'n mobiele pot.'

'Dat zal wel niet.' Agent Delinko wilde net de deur sluiten toen hij een gedempt geluid hoorde – was het een plons? Niet helemaal op zijn gemak staarde de agent naar het donker onder de plastic bril.

Tien seconden gingen voorbij; toen hoorde hij het weer.

Beslist een plons.

'Wat voer je allemaal uit daarboven?' wilde Curly weten.

'Ik luister,' antwoordde agent Delinko.

'Wat valt er dan te luisteren?'

Agent Delinko maakte zijn zaklantaarn los van zijn riem. Hij schuifelde naar voren en liet het licht in het gat van het toilet schijnen.

Curly hoorde een kreet en keek verbaasd toe toen de agent uit de deuropening van het hokje kwam schieten en als een olympische hordeloper van de dieplader sprong.

Wat nou weer? vroeg de voorman zich ongerust af.

Agent Delinko krabbelde overeind en veegde de voorkant van zijn uniform af. Hij raapte zijn zaklantaarn op en probeerde hem, om te kijken of het lampje niet kapot was.

Curly gaf hem zijn pet aan, die vlak naast een uilenhol was blijven liggen. 'Oké. Laat maar horen,' zei hij.

De politieman knikte grimmig. 'Alligators,' verklaarde hij.

'Ga weg.'

'Als dat zou kunnen,' zei de agent. 'Ze hebben alligators in uw toiletpotten gestopt, meneer. Echte levende alligators.'

'Meer dan één?'

'Ja.'

Curly was ontzet. 'Zijn het... grote beesten?'

Agent Delinko haalde zijn schouders op en knikte in de richting van de wc's. 'Ik stel me zo voor dat ze altijd groot lijken,' zei hij, 'als ze onder je gat rondzwemmen.'

Juffrouw Hennepin had Roys moeder op de hoogte gebracht, zodat hij het hele verhaal opnieuw moest vertellen toen hij thuiskwam van school, en nog een keer toen zijn vader van zijn werk kwam.

'Waarom kneep die jongen jou de keel dicht? Je had toch niets gedaan om hem uit te dagen, hè?' vroeg meneer Eberhardt.

'Roy zegt dat hij iedereen treitert,' zei mevrouw Eberhardt. 'Maar dan nog – vechten is nooit de oplossing.'

'Het was geen vechten,' hield Roy vol. 'Ik gaf hem alleen maar een stomp om te zorgen dat hij me losliet. Toen ben ik uit de bus gestapt en weggerend.'

'En toen kreeg je die golfbal tegen je hoofd?' vroeg zijn vader. Hij trok een gezicht bij het idee.

'Hij is een heel eind weggerend,' zei zijn moeder.

Roy zuchtte. 'Ik was bang.' Hij loog niet graag tegen zijn ouders, maar hij was veel te moe om uit te leggen waarom hij werkelijk zo ver was weggerend.

Meneer Eberhardt onderzocht de kneuzing boven het oor van zijn zoon. 'Je hebt een gemene tik gekregen. Misschien kan dokter Shulman er beter even naar kijken.'

'Nee, pap, mij mankeert niks.' De mannen van de ambulance hadden hem op de golfbaan gecontroleerd, en de schoolverpleegkundige van Trace Middle had hem ook nog eens drie kwartier 'ter observatie' gehouden om te kijken of hij symptomen van een hersenschudding vertoonde.

'Hij lijkt in orde,' bevestigde Roys moeder. 'Maar die andere jongen heeft een gebroken neus.'

'O?' Meneer Eberhardts wenkbrauwen gingen omhoog.

Tot Roys verbazing leek zijn vader niet kwaad te zijn. En hoewel hij Roy nu ook niet direct stralend aankeek, lag er onmiskenbaar genegenheid – misschien zelfs wel trots – in zijn blik. Het leek Roy een goede gelegenheid om opnieuw een beroep op zijn vergevingsgezindheid te doen.

'Hij was me aan het wurgen, pap. Wat had ik dan moeten doen? Wat zou *jij* hebben gedaan?' Hij trok zijn kraag omlaag om de blauwe vingerafdrukken in zijn hals te laten zien.

Meneer Eberhardts gezicht verstrakte. 'Heb je dat gezien, Liz?' vroeg hij aan Roys moeder, die bezorgd knikte. 'Weet de school wat die schooier onze zoon heeft aangedaan?'

'De onderdirectrice wel,' zei Roy. 'Ik heb het haar laten zien.'

'En wat heeft ze toen gedaan?'

'Me voor twee weken de toegang tot de schoolbus ontzegd. En verder moet ik een excuusbrief schrijven –'

'Wat is er met die andere jongen gebeurd? Heeft die geen straf gekregen?'

'Dat weet ik niet, pap.'

'Want dit is geweldpleging,' zei meneer Eberhardt. 'Je mag iemand anders de keel niet dichtknijpen. Dat is tegen de wet.'

'Bedoel je dat ze hem kunnen arresteren?' Roy wilde niet dat Dana Matherson in de gevangenis werd gegooid, want dan zouden Dana's gemene en even grote vrienden misschien achter hem aan komen. En als nieuweling op school zat hij niet op zulke vijanden te wachten.

Zijn moeder zei: 'Ze gaan hem heus niet arresteren, lieverd. Maar hij moet wel een lesje leren. Hij zou iemand ernstig letsel kunnen toebrengen als hij echt altijd kleinere kinderen uitkiest.'

Meneer Eberhardt leunde vol aandacht naar voren. 'Hoe heet die jongen?'

Roy aarzelde. Hij wist niet precies wat voor werk zijn vader deed, maar hij wist wel dat het iets met justitie te maken had. Wanneer hij met Roys moeder praatte, had hij het soms over zijn werk voor het 'MvJ', wat Roy ontcijferd had als het ministerie van justitie.

Roy mocht dan nog zo'n hekel aan Dana Matherson hebben, hij geloofde niet dat dat joch de aandacht van de regering van de Verenigde Staten waard was. Dana was alleen maar een grote, stomme pestkop; daar waren er zoveel van.

'Kom Roy, zeg op,' hield zijn vader aan.

'Die jongen heet Matherson,' kwam mevrouw Eberhardt ertussen.

29

'Dana Matherson.'

Eerst was Roy opgelucht dat zijn vader de naam niet opschreef, in de hoop dat dit betekende dat hij het incident verder zou laten rusten. Toen bedacht hij zich dat zijn vader een bovennatuurlijk geheugen scheen te hebben – zo kon hij bijvoorbeeld nog altijd de slaggemiddelen van het basisteam van de New York Yankees in 1978 opdreunen.

'Als jij morgen de school eens belde, Liz,' zei meneer Eberhardt, 'en informeert of – en hoe – die jongen gestraft wordt omdat hij Roy heeft aangevallen.'

'Meteen morgenochtend,' beloofde mevrouw Eberhardt.

Roy kreunde inwendig. Het was zijn eigen schuld dat zijn ouders zo heftig reageerden. Hij had die plekken op zijn nek nooit moeten laten zien.

'Mam, pap, ik mankeer niks. Echt waar. Kunnen we het er niet gewoon bij laten?'

'Absoluut niet,' zei zijn vader gedecideerd.

'Je vader heeft gelijk,' zei zijn moeder. 'Dit is een ernstige zaak. En kom nu maar eens mee naar de keuken, dan leggen we wat ijs op die bult van je. Daarna kun je aan die excuusbrief beginnen.'

Op een van de wanden van Roys kamer hing een poster van de rodeo in Livingston, met een cowboy die een woeste stier met een hoge rug bereed. De cowboy hield zijn ene hand hoog in de lucht; zijn hoed vloog van zijn hoofd. Elke avond voor hij het licht uitdeed lag Roy in zijn bed naar die poster te staren; dan stelde hij zich voor dat hij die sterke jonge stierenrijder was. Acht of negen seconden was een eeuwigheid op een kwade stier, maar in zijn verbeelding klampte Roy zich zo stevig vast dat het dier hem niet kon afwerpen, hoe woest het dat ook probeerde. De seconden tikten voorbij tot de stier tenslotte uitgeput op zijn knieën zonk. Dan klom Roy er kalm af en zwaaide naar de brullende menigte. Zo speelde hij die scène in zijn hoofd.

Misschien, dacht hij hoopvol, zou zijn vader ooit weer terug naar Montana worden overgeplaatst. Dan zou Roy kunnen leren op stieren te rijden als een echte cowboy.

Op diezelfde wand van zijn kamer hing een gele folder, die werd uitgedeeld aan toeristen die met hun auto Yellowstone National Park inreden. Op de folder stond:

WAARSCHUWING!

VELE GASTEN ZIJN AL DOOR BIZONS AANGEVALLEN.

BIZONS WEGEN SOMS WEL 900 KILO
EN KUNNEN SPRINTEN MET EEN TEMPO VAN 50 KM P/U,
DRIE KEER ZO SNEL ALS U KUNT RENNEN.
DE DIEREN LIJKEN MISSCHIEN TAM, MAAR ZE ZIJN WILD,
ONVOORSPELBAAR EN GEVAARLIJK.

KOM NIET TE DICHT BIJ DE BIZONS!

Onder aan de folder stond een plaatje van een toerist die op de horens van een woedende bizon omhoog werd gegooid. Zijn fototoestel vloog de ene kant op en zijn pet de andere, net als de hoed van de cowboy op de rodeoposter.

Roy had die folder van Yellowstone bewaard omdat hij het zo idioot vond dat mensen dom genoeg konden zijn om naar een volwassen bizon toe te wandelen en een foto te nemen. Toch gebeurde het elke zomer, en elke zomer werd er wel een sukkel van een toerist op de horens genomen.

Het was precies het soort idiote stunt dat Dana Matherson zou uithalen, dacht Roy, terwijl hij nadacht over zijn excuusbrief. Hij

31

zag het al voor zich: die grote bullebak die op een bizon probeerde te klimmen alsof het een draaimolenpaard was.

Hij nam een vel lijntjespapier uit zijn map voor Engels en schreef:

Beste Dana,

Het spijt me dat ik je neus kapot heb geslagen. Ik hoop dat het niet meer bloedt.
Ik beloof dat ik je nooit meer zal slaan zolang jij me niet meer lastigvalt in de schoolbus. Dat lijkt mij een eerlijke overreenkomst.

Hartelijke groeten,
Roy A. Eberhardt

Hij nam de brief mee naar beneden en liet hem aan zijn moeder zien, die haar wenkbrauwen fronste.
'Het lijkt me een beetje te… eh, te krachtig, lieverd.'
'Hoe bedoel je, mam?'
'Het is niet zozeer de inhoud van de brief als wel de toon.'
Ze gaf hem aan Roys vader, die hem las en zei: 'Ik vind de toon precies goed. Maar als ik jou was, zou ik het woord "overeenkomst" nog even in het woordenboek opzoeken.'

De commandant van politie hing achter zijn bureau. Hij had zich het laatste deel van zijn carrière heel anders voorgesteld. Na tweeëntwintig winters de ronde doen in de straten van Boston was hij naar Florida verhuisd in de hoop op nog vijf of zes warme, rustige jaren voor hij met pensioen ging. Coconut Cove had ideaal geklonken, maar het was niet het slaperige dorpje gebleken dat hij zich had voorgesteld. De plaats groeide als onkruid – te veel verkeer, te veel toeristen en ja, zelfs misdaad.

Geen harde grote-stadsmisdaad, maar geschifte, echt-iets-voor-Florida-misdaad.

'Hoeveel?' vroeg hij aan de brigadier.

De brigadier keek naar agent Delinko, die antwoordde: 'Zes in totaal.'

'Twee in elk toilet?'

'Ja, meneer.'

'Hoe groot?'

'De grootste was een meter twintig. De kleinste was vijfenzeventig centimeter,' las agent Delinko zakelijk voor uit zijn rapport.

'Echte alligators,' zei de commandant.

'Dat klopt, meneer.'

Agent Delinko's brigadier deed zijn mond open. 'Ze zijn nu weg, meneer, maakt u zich maar geen zorgen. Er is een reptielenvanger gekomen en die heeft ze uit de potten gehaald.' Grinnikend voegde hij eraan toe: 'Dat kleintje beet bijna die vent z'n duim eraf.'

'Een *reptielenvanger*?' vroeg de commandant. 'Ach, laat ook maar.'

'Of u het gelooft of niet, die hebben we in de gouden gids gevonden.'

'Vanzelfsprekend,' mompelde de commandant.

Normaal gesproken zou een politieman van zijn rang zich niet met zo'n idiote zaak bemoeien, maar het bedrijf dat de plaatselijke vestiging van het pannenkoekenhuis bouwde, had de nodige invloed bij lokale politici. Een van de hoge pieten van Moeder Paula had raadslid Grandy gebeld, die meteen de commissaris op het matje had geroepen, die snel bericht aan de commandant had gestuurd, die gauw de brigadier had gebeld, die ogenblikkelijk agent Delinko (helemaal onder aan de ranglijst) had laten komen.

'Wat is daar in vredesnaam allemaal aan de hand?' informeerde de commandant. 'Waarom zouden jongeren nu net dit ene bouwterrein uitkiezen voor hun vandalisme?'

'Twee redenen,' zei de brigadier, 'verveling en handige ligging. Ik durf er vijf dollar om te verwedden dat het jonge vandalen zijn die daar in de buurt wonen.'

De commandant keek agent Delinko aan. 'Wat denk jij?'

'Het lijkt me te goed georganiseerd voor jongeren – alle piketpaaltjes eruit trekken, en niet maar één of twee. Denk maar aan wat er vandaag aan de hand was. Hoeveel kinderen kent u die met een alligator van meer dan een meter weten om te gaan?' antwoordde agent Delinko. 'Het lijkt me behoorlijk riskant, voor zomaar een geintje.'

Delinko is geen Sherlock Holmes, dacht de commandant, maar daar heeft hij wel gelijk in. 'Nou, laat dan maar eens horen wat jouw theorie is,' zei hij tegen de agent.

'Ja, meneer. Dit is wat ik denk: ik denk dat iemand het op Moeder Paula heeft voorzien. Ik denk dat het een wraakactie is, of zoiets.'

'Wraak,' herhaalde de commandant een tikje sceptisch.

'Precies,' zei de agent. 'Misschien zit er een concurrerend pannenkoekenhuis achter.'

De brigadier schoof ongemakkelijk op zijn stoel heen en weer. 'Er is geen ander pannenkoekenhuis in Coconut Cove.'

'Oké.' Agent Delinko wreef over zijn kin. 'Een ontevreden klant dan? Misschien iemand die een keer slecht gegeten heeft bij een zaak van Moeder Paula?'

De brigadier lachte. 'Wat valt er nou te verknoeien aan een pannenkoek?'

'Daar ben ik het mee eens,' zei de commandant. Hij had genoeg gehoord. 'Brigadier, ik wil dat je eens per uur een patrouillewagen langs het bouwterrein laat rijden.'

'Goed, meneer.'

'Of je krijgt die vandalen te pakken, of je schrikt ze af. Dat kan me niet schelen, zolang de commissaris maar geen telefoontjes van het raadslid meer krijgt. Duidelijk?'

34

Zodra ze het kantoor van de commandant uit waren, vroeg agent Delinko aan zijn brigadier of hij extra vroeg mocht komen om de patrouille bij Moeder Paula te doen.

'Geen sprake van, David. Het potje voor overuren is helemaal leeg.'

'O, ik hoef geen overuren,' zei de agent. Het enige dat hij wilde, was het mysterie oplossen.

VIER

Roy moest van zijn moeder het hele weekend thuisblijven, omdat ze zeker wilde weten dat er geen vertraagde reactie van die klap met de golfbal kwam. Hoewel hij totaal geen last van zijn hoofd had, sliep hij zowel zaterdag- als zondagnacht slecht. Maandagochtend op weg naar school vroeg zijn moeder wat hem dwarszat. Roy zei dat er niets was, maar dat was niet waar. Hij maakte zich zorgen wat er zou gebeuren als hij Dana Matherson tegen het lijf zou lopen.

Maar Dana was nergens op Trace Middle te bekennen.

'Ziek gemeld,' rapporteerde Garrett. Hij beweerde inside-information te hebben dankzij zijn moeders hoge positie als schooldecaan. 'Man, wat heb je met die arme jongen uitgevoerd? Ik heb gehoord dat zijn ingewanden door de hele bus lagen.'

'Daar is niks van waar.'

'Ik heb gehoord dat je hem zo hard had geraakt dat zijn neus op zijn voorhoofd zat. En dat er plastische chirurgie aan te pas moet komen om hem weer op zijn plek te zetten.'

Roy rolde met zijn ogen. 'Ja, hoor.'

Garrett maakte een scheetgeluid tussen zijn tanden. 'Hé, iedereen op school heeft het erover – over *jou*, Eberhardt.'

'Geweldig.'

Ze stonden in de gang, na de dagopening, te wachten tot de bel ging voor de eerste les.

'Nou denken ze dat jij een keiharde bent,' zei Garrett.

'Wie denkt dat? Waarom?' Roy wilde niet dat ze dachten dat hij een keiharde was. Hij wilde eigenlijk dat ze helemaal niet aan hem

36

dachten. Hij wilde gewoon rustig opgaan in de menigte en niet opvallen, als een kevertje op de oever van een rivier.

'Ze vinden je stoer,' ging Garrett verder. 'Er heeft nog nooit iemand een Matherson in elkaar geslagen.'

Dana bleek drie oudere broers te hebben, die geen van allen dierbare herinneringen op Trace Middle hadden achtergelaten.

'Wat heb je in je excuusbrief gezet? "Beste Dana, het spijt me dat ik je gestompt heb. Breek alsjeblieft niet al mijn botten. Laat een van mijn armen heel zodat ik tenminste nog zelf kan eten."'

'Jij bent zó geestig,' zei Roy droog. Maar eigenlijk *was* Garrett best geestig.

'Wat denk je dat die gorilla doet, de volgende keer dat hij je ziet?' vroeg hij aan Roy. 'Als ik jou was zou ik zelf maar eens over plastische chirurgie gaan nadenken, zodat Dana me niet herkende. Serieus, man.'

'Garrett, je moet me helpen.'

'Waarmee – een schuilplaats? Probeer de zuidpool maar.'

De bel ging en stromen leerlingen vulden de gang. Roy trok Garrett opzij.

'Er is hier een lang meisje met blonde krullen, ze heeft een rode bril op –'

Garrett keek geschrokken. 'Nee, hè.'

'Wat: nee, hè?'

'Heb je een oogje op Beatrice Leep?'

'Heet ze zo?' Roy dacht dat het zeker honderd jaar geleden moest zijn dat iemand zijn dochter Beatrice noemde. Geen wonder dat ze zo'n pesthumeur had.

'Wat weet je over haar?' vroeg hij aan Garrett.

'Genoeg om bij haar uit de buurt te blijven. Ze is een kei in voetbal,' zei Garrett, 'en ze voelt zich ik-weet-niet-wat. Niet te geloven dat je een oogje op haar hebt –'

'Ik ken haar niet eens!' protesteerde Roy. 'Ze heeft me om de een of andere idiote reden op mijn donder gegeven en ik probeer er alleen maar achter te komen waarom.'

Garrett kreunde. 'Eerst Dana Matherson, en nu Beatrice de Beer. Wil jij graag dood soms?'

'Vertel eens wat over haar. Wat is er met haar?'

'Niet nu. Dan komen we te laat.'

'Kom op,' zei Roy. 'Alsjeblieft.'

Garrett kwam wat dichterbij staan en gluurde nerveus over zijn schouder. 'Dit is alles wat je over Beatrice Leep hoeft te weten,' zei hij fluisterend. 'Vorig jaar sloop een van de beste linebackers van Graham High van achteren op haar af en sloeg haar op haar achterwerk. Dat was in het Big Cypress Winkelcentrum, op klaarlichte dag. Beatrice ging achter hem aan en smeet hem in de fontein. Zijn sleutelbeen was op drie plaatsen gebroken. Uitgeschakeld voor de rest van het seizoen.'

'Ga weg,' zei Roy.

'Misschien moet je toch eens over die katholieke school gaan denken.'

Roy lachte hol. 'Jammer dat we methodist zijn.'

'Dan bekeer je je toch,' zei Garrett. 'Serieus.'

Agent Delinko verheugde zich erop vroeg op te staan om het bouwterrein in de gaten te houden. Het was een welkome onderbreking van zijn dagelijkse routine, die maar weinig gelegenheid voor echte surveillance bood. Meestal werd dat aan de rechercheurs overgelaten.

Hoewel agent Delinko het in Coconut Cove naar zijn zin had, vond hij zijn werk maar saai. Hij kreeg voornamelijk met verkeersovertredingen te maken. Hij was bij de politie gegaan om misdaden op te lossen en misdadigers te arresteren, maar afgezien van af en toe een dronken chauffeur kon hij zelden iemand achter slot en grendel zetten. De handboeien die aan zijn riem hingen, glommen nog net zoals toen hij bij de politie begon, bijna twee jaar geleden. Er zat geen krasje op.

Vandalisme en wederrechtelijk betreden waren geen indrukwekkende misdaden, maar agent Delinko werd geïntrigeerd door het patroon van aanhoudende delicten op de toekomstige locatie van Moeder Paula's Oud-Amerikaanse Pannenkoekenhuis. Hij had zo'n vermoeden dat de dader (of daders) iets ernstigers van plan was dan kattenkwaad.

Nu er druk op de commissaris werd uitgeoefend om een eind aan de incidenten te maken, wist agent Delinko dat hem grote lof te wachten zou staan als hij de vandalen te pakken kreeg – en dat het mogelijk de eerste stap op weg naar promotie zou betekenen. Het was zijn uiteindelijke doel rechercheur te worden, en de zaak Moeder Paula bood hem de kans te laten zien dat hij uit het goede hout gesneden was.

Op de eerste maandag na het voorval met de alligators had agent Delinko zijn wekker op vijf uur 's ochtends staan. Hij rolde uit bed, sprong onder de douche, roosterde een bagel voor zichzelf en ging op weg naar het bouwterrein.

Het was nog donker toen hij arriveerde. Hij reed drie rondjes rond het blok zonder iets ongewoons te zien. Afgezien van een vuilniswagen was het leeg op straat. De politieradio hield zich ook rustig; voor zonsopgang gebeurde er niet veel in Coconut Cove.

En *na* zonsopgang trouwens ook niet, peinsde agent Delinko.

Hij parkeerde de politieauto naast Leroy Branitts bouwkeet om te wachten tot het licht werd. Het beloofde een mooie ochtend te worden; de lucht was helder, met een randje roze in het oosten. Agent Delinko wenste dat hij een thermoskan koffie had meegebracht, want hij was niet gewend zo vroeg op te staan. Eén keer merkte hij dat hij wegzakte achter het stuur; daarom sloeg hij zichzelf stevig op de wangen om wakker te blijven.

Terwijl hij door het vage grijs van de vroege ochtend tuurde, meende hij op de open vlakte voor hem iets te zien bewegen. Hij deed de koplampen van de politieauto aan en daar, op een met gras begroeid bergje dat werd gemarkeerd door een nieuw geplante piketpaal, stond een koppeltje holenuilen.

Curly had geen grapje gemaakt. Het waren de schattigste uiltjes die agent Delinko ooit had gezien – nauwelijks meer dan twintig centimeter groot. Ze waren donkerbruin met gespikkelde vleugels, een witte keel en doordringende amberkleurige ogen. Agent Delinko was geen vogelkenner, maar die uiltjes van speelgoedformaat intrigeerden hem. Enkele ogenblikken lang staarden ze naar de auto, onzeker knipperend met hun grote ogen. Toen vlogen ze op, tegen elkaar kwetterend terwijl ze laag over de bosjes scheerden.

Hopend dat hij de vogels niet van hun nest had verjaagd deed agent Delinko zijn koplampen weer uit. Hij wreef over zijn zware oogleden en leunde met zijn hoofd tegen de binnenkant van het autoraampje. Het glas voelde koel aan tegen zijn huid. Er zoemde een mug rond zijn neus, maar hij was te slaperig om ernaar te slaan.

Algauw doezelde hij weg, en het volgende dat hij hoorde was het gekraak van de radio met de stem van de centralist, die zoals de gewoonte was naar zijn locatie informeerde. Agent Delinko tastte naar zijn microfoon en meldde het adres van het bouwterrein.

'Tien-vier,' zei de centralist bij wijze van afsluiting.

Langzaam werd agent Delinko wakker. Het was heet in de politieauto, maar gek genoeg leek het buiten nu donkerder dan toen hij net was aangekomen – zo donker zelfs dat hij helemaal niets kon zien, zelfs de bouwkeet niet.

Eén kort, angstig moment vroeg hij zich af of het alweer avond was. Was het mogelijk dat hij per ongeluk de hele dag door had geslapen?

Op datzelfde ogenblik sloeg er iets tegen de auto – *bang!* Nog een klap, en daarna nog een... een onafgebroken, onzichtbaar gebons.

Agent Delinko greep naar zijn wapen, maar hij kreeg het niet uit de holster – de veiligheidsgordel zat in de weg.

Terwijl hij worstelde om los te komen, vloog het portier open en trof een witte flits zonlicht hem recht in zijn gezicht. Hij hield zijn hand boven zijn ogen en schreeuwde, omdat hem te binnen schoot wat hij op de academie had geleerd: 'Politie! Politie!'

'O ja? 't Is dat je het zegt.' Het was Curly, de norse voorman. 'Waddister, hoorde je me niet kloppen?'

Agent Delinko probeerde weer bij zijn positieven te komen. 'Zeker in slaap gevallen. Is er iets gebeurd?'

Curly zuchtte. 'Stap maar uit, dan kun je het zelf zien.'

De agent kwam de auto uit, het oogverblindende daglicht in. 'Nee hè,' mompelde hij.

'Ja hè,' zei Curly.

Terwijl agent Delinko aan het dutten was, had iemand alle ruiten van zijn politieauto met zwarte verf bespoten.

'Hoe laat is het?' vroeg hij aan Curly.

'Halftien.'

Agent Delinko kreunde onwillekeurig. Halftien! Hij voelde met zijn vinger aan de voorruit – de verf was droog.

'Mijn auto,' zei hij terneergeslagen.

'Jouw auto?' Curly bukte en raapte een armvol uitgegraven piketpaaltjes op. 'Wie kan die stomme auto van jou nou iets schelen?' vroeg hij.

Roy liep de hele ochtend rond met een knoop in zijn maag. Er moest iets gebeuren, voor eens en altijd – hij kon zich niet de rest van het schooljaar voor Dana Matherson en Beatrice Leep blijven verstoppen.

Met Dana kon hij later wel afrekenen, maar Beatrice de Beer kon niet wachten. Tussen de middag zag Roy haar aan de andere kant van de kantine. Ze zat bij drie andere meisjes van het voetbalteam, die er groot en stoer uitzagen, al waren ze niet zo vervaarlijk als Beatrice.

Roy haalde diep adem, liep erheen en ging bij hen aan tafel zitten. Ziedend van ongeloof staarde Beatrice hem aan, terwijl haar vriendinnen hem met een lachje bekeken en rustig dooraten.

'Zit je ergens mee?' wilde Beatrice weten. In haar ene hand had ze een broodje barbecuevlees, dat halverwege het blad en haar snauwende mond bleef steken.

'Volgens mij zit *jij* ergens mee.' Roy glimlachte, ook al was hij zenuwachtig. Beatrices voetbalvriendinnen waren onder de indruk. Ze legden hun vork neer en wachtten af wat er zou komen. Roy ging verder. 'Beatrice,' begon hij, 'ik heb geen idee waarom je kwaad bent over wat er in de schoolbus gebeurd is. Jij bent niet degene die gewurgd werd, en ook niet degene die een stomp op zijn neus kreeg. Dus ik zeg het maar één keer: als ik iets gedaan heb wat je dwarszit, dan spijt het me. Het was niet expres.'

Het was duidelijk dat er nog nooit iemand zo onomwonden tegen Beatrice had gepraat, want ze leek volkomen in shocktoestand te zijn. Haar broodje hing nog steeds in de lucht en de barbecuesaus droop langs haar vingers.

'Hoeveel weeg jij?' vroeg Roy, niet onvriendelijk.

'Watte?' stamelde Beatrice.

'Nou, ik weeg precies tweeënveertig kilo,' zei Roy, 'en ik wil wedden dat jij minstens zevenenveertig weegt…'

Een van Beatrices vriendinnen giechelde, en Beatrice wierp haar een nijdige blik toe.

'… wat betekent dat jij mij vermoedelijk de hele kantine rond zou kunnen meppen. Maar daar zou je geen moer mee bewijzen,' zei Roy. 'Als je weer eens iets dwarszit, zeg het dan gewoon, dan gaan we ervoor zitten om het als beschaafde mensen uit te praten. Oké?'

'Beschaafd,' herhaalde Beatrice terwijl ze over haar bril heen naar Roy tuurde. Roys blik ging naar haar hand, waar inmiddels dikke klodders barbecuesaus afdropen. Kleffe hompen brood en vlees puilden tussen haar verkrampte vingers uit – ze had zo woest in het broodje geknepen dat het uit elkaar gevallen was.

Een van de voetbalvriendinnen leunde dicht naar Roy toe. 'Hoor eens, kletskous, ik zou maar verdwijnen nu het nog kan. Dit is wel *zo* geschift.'

Roy stond kalm op. 'Zijn we het eens, Beatrice? Als je nog iets dwarszit, kun je dat nu zeggen.'

Beatrice de Beer liet de restanten van haar broodje op haar bord vallen en veegde haar handen af aan een prop papieren servetjes. Ze zei geen woord.

'Mij best.' Roy zorgde ervoor weer te glimlachen. 'Ik ben blij dat we deze kans hebben gehad om elkaar wat beter te leren kennen.' Toen liep hij naar de andere kant van de kantine en ging zitten, alleen, om zijn lunch te eten.

Garrett sloop zijn moeders kantoortje binnen en schreef het adres over van de officiële leerlingenlijst. Het kostte Roy een dollar.

Toen ze met de auto naar huis reden, gaf Roy het stukje papier aan zijn moeder. 'Ik moet hier even heen,' zei hij tegen haar.

Mevrouw Eberhardt wierp er een blik op en zei: 'Dat is goed. Daar komen we toch langs.' Ze nam aan dat het het adres van een van Roys vrienden was, en dat hij een schoolboek of een huiswerkopdracht wilde ophalen.

Toen ze de oprit naar het huis opreden, zei Roy: 'Het duurt maar een minuutje. Ik ben zo terug.'

Dana Mathersons moeder deed open. Ongelukkig genoeg leek ze heel veel op haar zoon.

'Is Dana thuis?' vroeg Roy.

'Wie ben jij?'

'Ik zit bij hem op school.'

Mevrouw Matherson gromde, draaide zich om en schreeuwde Dana's naam. Roy was blij dat ze hem niet binnen vroeg. Even later hoorde hij zware voetstappen en vulde Dana zelf de deuropening. Hij had een grote blauwe pyjama aan die een ijsbeer zou hebben gepast. Een berg dik gaas, vastgezet met glimmende witte pleisters, bedekte het midden van zijn varkensgezicht. Allebei zijn ogen waren flink opgezet, met paarse kringen eromheen.

Roy stond sprakeloos. Het was haast niet te geloven dat één stomp zoveel schade had aangericht.

Dana keek nijdig op hem neer en zei, met een afgeknepen nasale stem: 'Dat hou je toch niet voor mogelijk.'

'Maak je geen zorgen. Ik kom alleen maar iets brengen.' Roy overhandigde hem de envelop met de excuusbrief.

'Wat is dat?' vroeg Dana achterdochtig.

'Maak maar open.'

Dana's moeder verscheen achter hem. 'Wie is dat?' vroeg ze aan Dana. 'Wat moet-ie?'

'Laat maar,' mompelde Dana.

Roy deed zijn mond open: 'Ik ben de jongen die uw zoon laatst probeerde te wurgen. Ik ben degene die hem een klap heeft verkocht.'

Dana's schouders verstijfden. Zijn moeder liet een kakelend lachje horen. 'Ga weg! Dit sulletje is de jongen die jouw gezicht tot pulp heeft geslagen?'

'Ik kom me verontschuldigen. Het staat allemaal in die brief.' Roy wees naar de envelop die Dana in zijn rechterhand klemde.

'Laat zien.' Mevrouw Matherson reikte over haar zoons schouder, maar hij trok zich los en verkreukelde de envelop in zijn vuist.

'Lazer op, koeienkop,' snauwde hij Roy toe. 'Wij rekenen wel met elkaar af als ik weer op school ben.'

Toen Roy bij de auto terugkwam, vroeg zijn moeder: 'Waarom zijn die twee mensen op de veranda aan het worstelen?'

44

'Die ene in de pyjama is de jongen die me in de bus probeerde te wurgen. Die andere, dat is zijn moeder. Ze vechten om mijn excuusbrief.'

'O.' Mevrouw Eberhardt sloeg het vreemde schouwspel peinzend gade door het autoraampje. 'Ik hoop maar dat ze elkaar geen pijn doen. Ze zijn allebei nogal fors, hè?'

'Ja, dat is zo. Kunnen we nu naar huis, mam?'

VIJF

Roy zoefde in een uur door zijn huiswerk heen. Toen hij zijn kamer uitkwam, hoorde hij zijn moeder aan de telefoon met zijn vader praten. Ze zei dat Trace Middle had besloten geen strafmaatregelen tegen Dana Matherson te nemen vanwege zijn verwondingen. Kennelijk wilde de school Dana's ouders niet provoceren, voor het geval dat ze een proces overwogen.

Toen mevrouw Eberhardt haar man over de wilde worsteling tussen Dana en zijn moeder begon te vertellen, glipte Roy door de achterdeur naar buiten. Hij haalde zijn fiets uit de garage en reed weg. Twintig minuten later bereikte hij de bushalte waar Beatrice Leep instapte, en vandaar volgde hij met gemak de route van de rampzalige achtervolging te voet van afgelopen vrijdag.

Toen hij bij het golfterrein was, zette hij zijn fiets vast aan de buizen van een fonteintje en rende toen dezelfde baan over waarop hij die bal tegen zijn hoofd had gekregen. Het was laat in de middag, vochtig heet, en er waren maar weinig golfers. Toch rende Roy met zijn hoofd omlaag en één arm afwerend omhoog, voor het geval dat er weer een verdwaalde bal zijn kant op kwam vliegen. Hij minderde pas vaart toen hij bij de groep Australische pijnbomen kwam waarin de rennende jongen verdwenen was.

De bomen maakten plaats voor een warrig bosje Braziliaanse peperbomen en dicht struikgewas, dat ondoordringbaar leek. Roy bekeek de buitenkant, op zoek naar een pad of sporen van een mens. Hij had niet veel tijd voor het donker werd. Algauw gaf hij zijn pogingen een ingang te vinden op en baande hij zich met zijn ellebogen een weg tussen de peperbomen door; ze schuurden langs zijn armen en prikten in zijn wangen. Hij deed zijn ogen dicht en zwoegde verder.

Langzamerhand werden de takken minder dicht en begon de grond onder hem omlaag te lopen. Hij verloor zijn evenwicht en gleed in een greppel die als een tunnel door het bosje liep. Daar, in de schaduw, was de lucht koel en rook het naar aarde. Roy ontdekte een stel geblakerde stenen rond een laag as: een kampvuur. Hij hurkte bij de kleine vuurkuil en bestudeerde de platgestampte aarde eromheen. Hij telde zes identieke afdrukken, allemaal van hetzelfde stel blote voeten. Toen hij zijn eigen schoen naast een van de afdrukken zette, verbaasde het hem niet dat ze ongeveer van dezelfde grootte waren.

In een opwelling riep hij: 'Hallo? Waar zit je?'

Geen antwoord.

Langzaam baande Roy zich een weg door de greppel, op jacht naar meer aanwijzingen. Verborgen onder een mat van klimplanten vond hij drie plastic vuilniszakken, alle drie dichtgebonden. In de eerste zak zat gewoon alledaags afval – frisflesjes, soepblikken, chipszakken, appelklokhuizen. De tweede zak bevatte een stapeltje jongenskleren: netjes opgevouwen T-shirts, spijkerbroeken en onderbroeken.

Maar geen sokken of schoenen, viel Roy op.

In tegenstelling tot de andere twee zat de derde zak niet vol. Roy maakte de knoop los en keek, maar hij kon niet zien wat erin zat. Wat het ook was, het voelde dik en zwaar aan.

Zonder nadenken keerde hij de zak om en kiepte de inhoud op de grond. Er viel een massa dikke bruine touwen uit.

Toen begonnen de touwen te bewegen.

'Uh-oh,' zei Roy.

Slangen – en niet zomaar slangen.

Ze hadden een brede, driehoekige kop, net als de prairieratelslangen in Montana, maar hun lijf was modderkleurig en onheilspellend dik. Roy zag dat het watermoccasinslangen waren, uitermate giftig. Ze hadden geen ratel om te waarschuwen vóór ze aanvielen, maar Roy zag dat de punt van hun stompe staart in blauwe en zilveren glitters gedoopt was, het soort dat bij handenarbeid werd gebruikt. Het was een heel eigenaardig gezicht.

Roy deed zijn uiterste best om zich niet te bewegen terwijl de dikke reptielen rond zijn voeten uit elkaar kropen. Tongen schoten heen en weer; sommige van de watermoccasins strekten zich uit tot hun volle lengte, terwijl andere zich traag oprolden. Roy telde er negen in totaal.

Dit gaat niet goed, dacht hij.

Hij sprong bijna uit zijn gympies toen er uit de struiken achter hem een stem klonk.

'Niet bewegen!' beval de stem.

'Dat was ik niet van plan,' zei Roy. 'Eerlijk niet.'

Toen hij nog in Montana woonde, was Roy een keer over het Pine Creekpad de Absarokabergen in getrokken, die uitkijken over Paradise Valley en de rivier de Yellowstone.

Het was een excursie van school, met vier leraren en een stuk of dertig leerlingen. Roy was opzettelijk helemaal achteraan gaan lopen, en toen de anderen niet keken liet hij de groep in de steek. Hij verliet het platgelopen pad en zigzagde tegen de wand van een begroeide berg op. Hij was van plan de top over te steken en stilletjes vóór de groep van school weer af te dalen. Het leek hem een goede mop als zij, wanneer ze het kamp weer in kwamen sjokken, hem daar aantroffen terwijl hij een dutje deed bij de kreek.

Haastig zocht Roy zich een weg door een woud van hoge, rechte pijnbomen. De helling lag vol brokkelige stukken dood hout en afgebroken takken, afval van vele koude, winderige winters. Roy keek goed uit waar hij liep om geen geluid te maken, want hij wilde niet dat de wandelaars daar beneden hem hoorden klimmen.

Zoals algauw duidelijk werd deed hij té stil. Toen hij een open plek opliep stond hij opeens tegenover een grote grizzlybeer met twee jongen. Het was onmogelijk te zeggen wie het meest schrok. Roy had altijd al een grizzly in het wild willen zien, maar zijn vrienden op school zeiden dat hij dat wel kon vergeten. In Yellowstone Park misschien, zeiden ze, maar niet hier. De meeste volwassenen brachten hun hele leven hier in het westen door zonder er ooit een te zien.

Maar daar stond Roy nu, en aan de andere kant van de open plek, op dertig meter afstand, stonden drie echte beren – snuivend en blazend gingen ze op hun achterpoten staan om hem eens goed te bekijken.

Roy herinnerde zich dat zijn moeder een busje peperspray in zijn rugzak had gestopt, maar hij herinnerde zich ook wat hij over ontmoetingen met beren had gelezen. De dieren hadden slechte ogen en het beste dat een mens kon doen was stokstijf en doodstil blijven staan.

Dus dat deed Roy.

De vrouwtjesbeer tuurde en gromde en snoof naar zijn geur in de lucht. Toen maakte ze een scherp kuchend geluid en haar kleintjes renden gehoorzaam het bos in.

Roy slikte moeizaam, maar bewoog zich niet.

De moederbeer verhief zich in haar volle lengte, ontblootte haar gele tanden en deed of ze naar hem uitviel.

Inwendig beefde Roy van angst, maar uiterlijk bleef hij kalm en bewegingloos. De beer nam hem aandachtig op. Haar veranderende uitdrukking gaf Roy het idee dat ze tot de conclusie kwam dat hij te mak en te nietig was om een bedreiging te vormen. Na enkele spannende ogenblikken liet ze zich op alle vier haar poten zakken en sjokte ze, nog één keer uitdagend snuivend, weg naar haar kleintjes.

Nog steeds verroerde Roy geen vin.

Hij wist niet hoe ver de beren waren gegaan, en of ze misschien terug zouden komen om hem te volgen. Twee uur en tweeëntwintig minuten lang bleef Roy zo stil als een gipsen beeld op die berghelling staan, tot een van zijn leraren hem vond en hem veilig naar de anderen terugbracht.

Roy was dus ontzettend goed in niet bewegen, vooral als hij bang was. En reken maar dat hij nu bang was, met negen giftige slangen die om zijn voeten rondkropen.

'Diep inademen,' adviseerde de stem achter hem.

'Ik doe mijn best,' zei Roy.

'Oké, nu tel ik tot drie en dan doe je heel langzaam een stap achteruit.'

'Dat dacht ik niet,' zei Roy.

'Een...'

'Wacht even.'

'Twee...'

'Alsjeblieft!' smeekte Roy.

'Drie.'

'Ik kan het niet!'

'Drie,' zei de stem weer.

Roys benen leken wel van rubber toen hij achteruit wankelde. Een hand greep zijn shirt beet en trok hem met een ruk tussen de dichte peperbomen. Toen zijn achterste op de grond landde, kwam er een kap omlaag over zijn gezicht heen en werden zijn armen achter zijn rug getrokken. Voor hij kon reageren werd er een touw twee keer om zijn polsen gewonden en aan een boomstam vastgemaakt. Toen hij zijn vingers bewoog, kon hij de gladde, kleverige bast voelen.

'Wat doe je nou!' riep hij.

'Dat mag jij vertellen.' De stem had zich verplaatst en klonk nu vóór hem. 'Wie ben je? Wat doe je hier?'

'Ik ben Roy Eberhardt. Ik zag je laatst langs de schoolbus rennen.'

'Ik weet niet waar je het over hebt.'

'Op twee verschillende dagen, om precies te zijn,' zei Roy. 'Ik zag je rennen en toen werd ik nieuwsgierig. Je leek... ik weet niet, gespannen of zo.'

'Dat was ik niet.'

'Jawel, hoor.' De slangenvanger gebruikte een onechte lage toon – de stem van een jongen die probeert als een volwassene te klinken.

'Serieus,' zei Roy, 'ik ben echt niet hierheen gekomen om ruzie met je te maken. Haal die kap weg zodat we elkaar kunnen zien, oké?' Hij kon de jongen horen ademen. Toen: 'Je moet hier weg. Nu meteen.'

'Maar die slangen dan?'

'Die zijn van mij.'

'Ja, maar –'

'Die gaan niet ver. Ik vang ze straks wel weer.'

'Dat bedoelde ik niet,' zei Roy.

De jongen lachte. 'Maak je maar niet druk. Ik breng jou wel achterom weg. Doe nou maar wat ik zeg, dan word je niet gebeten.'

'Wat een figuur,' mompelde Roy.

De jongen maakte hem los van de Braziliaanse peperboom en trok hem overeind. 'Je hield je aardig goed, dat moet ik toegeven,' zei hij. 'De meeste kinderen zouden het in hun broek hebben gedaan.'

'Zijn het watermoccasinslangen?' vroeg Roy.

'Klopt.' De jongen klonk tevreden dat Roy wist welke soort het was.

'Waar ik eerst woonde, daar hadden we massa's ratelslangen,' vertelde Roy. Als het hem lukte een vriendelijk gesprek te beginnen, dacht hij, zou de jongen misschien van gedachten veranderen en die kap van zijn gezicht halen. 'Maar ik heb nog nooit gehoord van een watermoccasin met glitters op zijn staart.'

'Ze gaan naar een feestje. En nou lopen.' De jongen pakte Roy van

achteren beet en duwde hem vooruit. Hij had een sterke greep. 'Ik zeg het wel als je moet bukken voor takken,' zei hij.

De kap was zwart of donkerblauw en Roy kon geen spikkeltje licht door de stof heen zien. Blindelings struikelde en slingerde hij door het struikgewas, maar de jongen op blote voeten zorgde ervoor dat hij niet viel. Roy wist dat ze tussen de bomen uit waren toen de lucht warmer werd en de grond onder zijn voeten vlak. Hij kon het bemeste gras van de golfbaan ruiken.

Even later bleven ze staan, en de jongen begon het touw om Roys polsen los te knopen. 'Niet omdraaien,' zei hij.

'Hoe heet je?' vroeg Roy.

'Ik heb geen naam meer.'

'Tuurlijk wel. Iedereen heeft een naam.'

De jongen gromde. 'Ik word wel eens Harderhand genoemd. En ook wel eens iets lelijkers.'

'Je woont niet echt hier buiten, hè?'

'Gaat je niks aan. En wat dan nog?'

'Helemaal alleen? En je familie dan?' vroeg Roy.

De jongen gaf hem een lichte tik tegen zijn achterhoofd. 'Je stelt te veel nieuwsgierige vragen.'

'Sorry.' Roy merkte dat zijn handen los waren, maar hij bleef ze op zijn rug houden.

'Niet omdraaien voor je tot vijftig hebt geteld,' droeg de jongen hem op. 'Anders word je een dezer dagen wakker met een van die dikke vette watermoccasins in je bed. Gesnapt?'

Roy knikte.

'Mooi zo. Begin maar te tellen.'

'Een, twee, drie, vier…' zei Roy hardop. Toen hij bij vijftig was, trok hij de kap van zijn hoofd en keek snel om. Hij stond helemaal in zijn eentje midden op de oefenafslagplaats, omringd door een zee van golfballen.

De jongen op blote voeten was verdwenen, alweer.

Roy rende de hele weg terug naar zijn fiets en reed zo snel als hij kon naar huis. Hij was niet bang en hij was niet uit het veld geslagen. Hij was nog nooit in zijn leven zo opgewonden geweest.

ZES

De volgende ochtend aan het ontbijt vroeg Roy of het tegen de wet was als iemand van zijn leeftijd niet naar school ging.

'Of het echt tegen de *wet* is weet ik eigenlijk niet, maar –' begon zijn moeder.

'Nou en of het dat is,' onderbrak zijn vader. 'Dat is ongeoorloofd verzuim.'

'Kun je daarvoor in de gevangenis komen?' vroeg Roy.

'Meestal sturen ze je gewoon weer naar school,' antwoordde meneer Eberhardt. Half uit gekheid voegde hij eraan toe: 'Je dacht er toch niet over met school te stoppen, hè?'

Nee, zei Roy, school is oké.

'Ik wed dat ik wel weet wat hierachter zit,' zei mevrouw Eberhardt. 'Je bent bang dat je die jongen Matherson weer tegen het lijf loopt. Ik zei toch al dat die excuusbrief te assertief was?'

'Die brief was precies goed,' zei Roys vader terwijl hij zijn krant openvouwde.

'Als hij "precies goed" was, waarom is Roy dan zo bang? Waarom praat hij dan over stoppen met school?'

'Ik ben niet bang,' zei Roy, 'en ik wil helemaal niet van Trace Middle af. Maar...'

Zijn moeder keek hem aan. 'Wat?'

'Niks, mam.'

Hij besloot zijn ouders niet te vertellen over zijn ontmoeting met Harderhand, de rennende jongen. Omdat hij voor justitie werkte, zou zijn vader wel verplicht zijn alle vergrijpen te melden, zelfs ongeoorloofd verzuim. Roy wilde de jongen niet in moeilijkheden brengen.

'Moet je dit horen,' zei meneer Eberhardt en hij begon uit de krant voor te lezen: '"Een patrouillewagen van de politie van Coconut Cove was maandagochtend vroeg het doelwit van vandalen toen hij geparkeerd stond bij een bouwterrein aan East Oriole Avenue. De agent was op dat moment in de auto in slaap gevallen, aldus een woordvoerder van de politie." Dat is toch niet te geloven!'

Roys moeder klakte met haar tong. 'Slapen terwijl je dienst hebt? Schandalig. Ze moesten die vent ontslaan.'

Roy vond het eigenlijk wel een grappig verhaal.

'Het wordt nog mooier,' zei zijn vader. 'Luister maar: "Het incident vond kort voor zonsopgang plaats, toen een onbekende grappenmaker de politieauto, een Crown Victoria 2001, besloop en de ruiten met zwarte verf bespoot."'

Roy, die net zijn mond vol muesli had, schoot in de lach. De melk droop over zijn kin.

Meneer Eberhardt glimlachte ook terwijl hij verder las: '"Commissaris van politie Merle Deacon weigerde de naam van de in slaap gevallen agent vrij te geven, maar zei alleen dat hij deel uitmaakt van een speciaal surveillanceteam dat onderzoek doet naar eigendomsdelicten in het oosten van de stad. Deacon zei dat de agent onlangs griep heeft gehad en nog medicijnen gebruikte waar hij slaperig van werd."'

Roys vader keek op van de krant. 'Medicijnen, ha!'

'Wat staat er nog meer in dat artikel?' vroeg mevrouw Eberhardt.

'Even kijken... Er staat dat dit het derde verdachte incident binnen een week is op die locatie, waar een vestiging van Moeder Paula's Oud-Amerikaanse Pannenkoekenhuis komt te staan.'

Roys moeder keek blij verrast. 'Krijgen we een Moeder Paula hier in Coconut Cove? Dat is fijn.'

Roy haalde een servet langs zijn kin. 'Wat is daar dan nog meer gebeurd, pap?'

'Dat vroeg ik me ook net af.' Meneer Eberhardt vloog de rest van het artikel door. 'Hier staat het: "Afgelopen maandag hebben onbekende indringers piketpaaltjes op het terrein uitgegraven. Vier dagen later zijn vandalen het terrein opgekomen en hebben ze levende alligators in drie mobiele toiletten gestopt. Volgens de politie zijn de reptielen ongedeerd gevangen en later in een nabijgelegen kanaal vrijgelaten. Er zijn geen arrestaties verricht."'

Mevrouw Eberhardt stond op en begon de ontbijtspullen op te ruimen. 'Alligators!' zei ze. 'Goeie hemel, waar moet dat heen?'

Meneer Eberhardt vouwde de krant op en gooide hem op het aanrecht. 'Dit blijkt toch wel een interessant plaatsje te zijn, hè Roy?'

Roy pakte de krant om het zelf nog eens te lezen. East Oriole Avenue klonk bekend. Terwijl hij het artikel las, schoot hem te binnen waar hij dat straatnaambord had gezien. De bushalte van Beatrice Leep, de plaats waar hij de rennende jongen voor het eerst had gezien, lag aan *West* Oriole Avenue, net aan de andere kant van de grote weg.

'Er staat niet bij hoe groot die alligators waren,' merkte Roy op.

Zijn vader grinnikte. 'Ik denk niet dat dat belangrijk is, jongen. Ik denk dat alleen het idee al genoeg is.'

De commandant zei: 'Ik heb je rapport gelezen, David. Heb je er verder nog iets aan toe te voegen?'

Agent Delinko schudde zijn hoofd. Zijn handen lagen in elkaar gevouwen op zijn schoot. Wat kon hij nog zeggen?

Zijn brigadier bemoeide zich ermee: 'David beseft hoe ernstig dit is.'

'"Gênant" is het juiste woord,' zei de commandant. 'De commissaris heeft me de inhoud van een paar e-mails en telefoontjes verteld. Dat is niet best. Heb je de krant gezien?'

Agent Delinko knikte. Hij had het artikel wel tien keer gelezen en herlezen. Elke keer opnieuw draaide zijn maag ervan om.

'Je zult wel hebben gemerkt dat jouw naam niet genoemd werd,' zei de commandant. 'Dat is omdat we geweigerd hebben die aan de media vrij te geven.'

'Ja. Dank u,' zei agent Delinko. 'Het spijt me allemaal ontzettend, meneer.'

'En je hebt gelezen hoe commissaris Deacon het gebeurde verklaard heeft? Ik neem aan dat je daarmee instemt.'

'Eerlijk gezegd, meneer, heb ik geen griep gehad. En ik slikte gisteren geen medicijnen –'

'David,' kwam de brigadier ertussen, 'als de commissaris zegt dat je medicijnen tegen de griep slikte, dan slikte je die ook. En als de commissaris zegt dat je *daardoor* in de patrouillewagen in slaap bent gevallen, dan is dat *precies* wat er gebeurd is. Begrepen?'

'O. Ja, meneer.'

De commandant hield een vel geel papier omhoog. 'Dit is een rekening van de Forddealer voor vierhonderdtien dollar. Ze hebben die zwarte verf van je ramen af gekregen, dat is het goede nieuws. Het heeft hun de hele dag gekost, maar het is gelukt.'

Agent Delinko was ervan overtuigd dat de commandant de rekening aan hem zou geven, maar dat gebeurde niet. Hij legde hem in het personeelsdossier van de agent, dat open op zijn bureau lag.

'Ik weet niet wat ik met je aan moet, agent. Ik weet het echt niet.' De commandant klonk als een teleurgestelde vader.

'Het spijt me heel erg, meneer. Het zal niet nog eens gebeuren.'

De brigadier zei: 'U moet weten, meneer, dat David zich vrijwillig had aangemeld voor de surveillance bij het bouwterrein. En hij is er 's ochtends heel vroeg heen gegaan, hoewel hij toen nog geen dienst had.'

'In zijn eigen tijd?' De commandant kruiste zijn armen. 'Tja, dat is prijzenswaardig. Mag ik vragen waarom je dat deed, David?'

'Omdat ik de daders te pakken wilde krijgen,' antwoordde agent Delinko. 'Ik wist dat dat voor de commissaris en u prioriteit had.'

'Is dat de enige reden? Je had geen persoonlijk belang bij deze zaak of zo?'

Nu wel, dacht agent Delinko. Nu ze me in mijn hemd hebben gezet.

'Nee, meneer,' antwoordde hij.

De commandant richtte zich tot de brigadier. 'Tja, er moet toch enige vorm van straf zijn, of we willen of niet. De commissaris ligt hierdoor te zeer onder vuur.'

'Daar ben ik het mee eens,' zei de brigadier.

Het hart zonk agent Delinko in de schoenen. Een disciplinaire maatregel zou automatisch in zijn permanente dossier komen. Dat zou een probleem kunnen opleveren als er een promotie in zicht kwam.

'Die rekening betaal ik zelf wel, meneer,' bood hij aan. Vierhonderdtien dollar was een forse aanslag op zijn salarisbriefje, maar als hij zo zijn dossier onberispelijk kon houden was het elke cent waard.

De commandant zei dat agent Delinko de rekening niet hoefde te betalen – en daar zou de commissaris trouwens ook niet tevreden mee zijn. 'Daarom geef ik je bureaudienst,' zei hij, 'voor een maand.'

'Daar kan David wel mee leven,' zei de brigadier.

'Maar hoe moet het dan met de surveillance bij Moeder Paula?' vroeg agent Delinko.

'Maak je maar niet druk, daar zorgen wij wel voor. We halen wel iemand van de nachtdienst.'

'Ja, meneer.' Agent Delinko werd niet vrolijk van het idee achter een bureau vast te zitten en een lange, saaie maand niets te doen. Toch was het beter dan geschorst worden. Het enige dat erger was dan op het hoofdbureau zitten, was thuiszitten.

De commandant stond op, wat betekende dat de bespreking was afgelopen. Hij zei: 'Als zoiets ooit weer voorkomt, David…'

'Dat gebeurt niet. Dat beloof ik.'

'Volgende keer zul je beslist je naam in de krant lezen.'

'Ja, meneer.'

'Onder de kop: AGENT ONTSLAGEN. Is dat duidelijk?'

Agent Delinko kromp inwendig in elkaar. 'Ik begrijp het, meneer,' zei hij kalm tegen de commandant.

Hij vroeg zich af of die ettertjes die zijn Crown Victoria hadden bespoten wel begrepen hoeveel ellende ze hem bezorgden. Mijn hele carrière staat op het spel, dacht hij kwaad, alleen maar door een stelletje bijdehante boefjes. Hij was vastbslotener dan ooit hen op heterdaad te betrappen.

In de gang voor de kamer van de commandant zei de brigadier tegen hem: 'Je kunt je auto ophalen bij de politiegarage. Maar denk erom, David, je zit niet meer in de patrouille. Dat betekent dat je in de auto naar huis en weer terug mag rijden, maar dat is alles.'

'Begrepen,' zei agent Delinko. 'Naar huis en terug.'

Hij had al een route bedacht die hem rechtstreeks langs de hoek van East Oriole en Woodbury zou voeren, de toekomstige locatie van Moeder Paula's Oud-Amerikaanse Pannenkoekenhuis.

Niemand zei dat hij 's ochtends niet extra vroeg van huis mocht vertrekken. Niemand zei dat hij niet alle tijd van de wereld mocht nemen om op zijn werk te komen.

Dana Matherson was weer niet op school. Roy was enigszins opgelucht, maar niet genoeg om zich te ontspannen. Hoe langer Dana wegbleef, hoe gemener hij zou zijn wanneer hij ten slotte weer op school kwam.

'Je hebt nog tijd om de stad uit te vluchten,' opperde Garrett behulpzaam.

'Ik loop niet weg. Wat gebeurt, gebeurt.'

Het ging Roy er niet om stoer te klinken. Hij had lang nagedacht over die toestand met Dana. Een volgende confrontatie scheen onvermijdelijk, en eigenlijk wilde hij het gewoon achter de rug hebben. Hij was niet verwaand, maar hij had wel een koppig soort trots. Hij was beslist niet van plan zich de rest van het jaar in de wc's te verstoppen of door de gangen te sluipen, enkel om zo'n stomme pestkop te ontlopen.

'Misschien zou ik het je niet moeten vertellen,' zei Garrett, 'maar sommige kinderen sluiten al weddenschappen af.'

'Geweldig. Ze wedden of Dana me in elkaar gaat slaan?'

'Nee, hoe *vaak* hij je in elkaar gaat slaan.'

'Aardig,' zei Roy.

In feite had de herrie met Dana Matherson twee positieve gevolgen gehad. Het eerste was dat hij met succes de jongen op blote voeten was gevolgd tot de golfbaan. Het tweede was dat hij door de onderdirectrice voor twee weken uit de bus verbannen was.

Het was prettig door zijn moeder van school gehaald te worden. In de auto hadden ze tijd om met elkaar te praten en Roy was twintig minuten eerder thuis dan anders.

De telefoon stond te rinkelen toen ze de deur inkwamen. Het was zijn moeders zus, die uit Californië belde om even bij te praten. Roy greep zijn kans; hij haalde een kartonnen schoenendoos uit zijn kamer en glipte stilletjes de achterdeur uit.

Hij fietste weer in de richting van de golfbaan, met een kleine omweg. In plaats van op West Oriole links aan te houden, naar de bushalte toe, stak hij de grote weg over naar East Oriole. Voor hij twee blokken verder was kwam hij bij een met onkruid begroeid terrein met in de ene hoek een gedeukte bouwkeet.

Naast de keet stond een blauwe pick-uptruck geparkeerd. Niet ver daarvandaan stonden drie bulldozerachtige werktuigen en een rijtje verplaatsbare toiletten. Roy nam aan dat dit de plek was waar de politieauto met verf bespoten was en de alligators in de wc's verstopt waren.

Zodra hij zijn fiets stilhield, vloog de deur van de keet open en stormde er een gedrongen kale man naar buiten. Hij droeg een stijve lichtbruine werkbroek en een lichtbruin hemd met een opgestikte naam op de borst. Roy was te ver weg om die te kunnen lezen.

'Wat moet je?' beet de man hem toe. Zijn gezicht was rood van woede. 'Hé, joh, ik heb het tegen jou!'

Wat mankeert *hem*, dacht Roy.

De man kwam naar hem toe en wees. 'Wat zit er in die doos?' schreeuwde hij. 'Wat hebben jij en je maatjes voor vannacht gepland, nou?'

Roy keerde zijn fiets en peddelde weg. Die vent gedroeg zich volkomen gestoord.

'Goed zo, en waag het niet om terug te komen!' brulde de kale man, zwaaiend met zijn vuist. 'Volgende keer staan er waakhonden op je te wachten. De gemeenste krengen die je ooit hebt gezien!'

Roy trapte harder. Hij keek niet om. De lucht werd donkerder en hij meende een regendruppel op zijn wang te voelen. Vanuit de verte klonk onweersgerommel.

Zelfs nadat hij de grote weg was overgestoken naar West Oriole minderde Roy geen vaart. Tegen de tijd dat hij het golfterrein bereikte, viel er een gestage motregen. Hij sprong van zijn fiets en begon over de verlaten greens en banen te rennen, met allebei zijn armen beschermend om de schoenendoos heen.

Algauw kwam hij bij het bosje peperbomen waar hij de jongen had ontmoet die Harderhand heette. Hij had zich er in gedachten al op voorbereid weer geblinddoekt en vastgebonden te worden – hij had zelfs al bedacht wat hij zou zeggen als dat gebeurde. Hij was vastbesloten Harderhand ervan te overtuigen dat hij te vertrouwen was, dat hij niet was gekomen om hem dwars te zitten maar om hem te helpen, als Harderhand hulp nodig had.

Terwijl hij zich een weg door het bosje baande, raapte Roy een dode tak van de grond. Hij was zwaar genoeg om indruk te maken op een watermoccasin, al hoopte Roy dat dat niet nodig zou zijn. Toen hij bij de greppel kwam, zag hij geen spoor van de dodelijke slangen met hun glitterstaarten. Het kamp van de rennende jongen was weg – ontruimd. Alle plastic zakken waren meegenomen, en de vuurkuil was dichtgegooid. Roy prikte met de punt van de dode tak in de losse aarde, maar dat leverde geen aanwijzingen op. Mistroostig zocht hij naar voetafdrukken en vond er niet één. Harderhand was verdwenen zonder een spoor achter te laten.

Toen Roy weer op de golfbaan kwam barstten de paarse wolken open. Regen striemde neer in door de wind voortgedreven vlagen die in zijn gezicht prikten, en de bliksem flitste onheilspellend dichtbij. Roy rilde en begon te rennen. In een onweersbui was een golfterrein, vlak bij bomen, wel de laatste plek waar je moest zijn. Terwijl hij rende en bij elke donderslag in elkaar kromp, begon hij zich schuldig te voelen omdat hij stiekem het huis uit geslopen was. Zijn moeder zou wel vreselijk ongerust zijn wanneer ze doorkreeg dat hij in dit weer buiten was. Misschien zou ze zelfs wel in de auto stappen om hem te komen zoeken, een vooruitzicht dat Roy niet lekker zat. Hij wilde niet dat zijn moeder onder zulke gevaarlijke omstandigheden rondreed; het regende zo hard dat ze de weg niet goed zou kunnen zien.

Zo nat en moe als hij was, dwong Roy zichzelf nog sneller te rennen. Hij kneep zijn ogen dicht tegen de stortregen en dacht steeds maar: veel verder kan het niet zijn.

Hij was op de uitkijk naar het fonteintje waar hij zijn fiets had neergezet. Eindelijk, op een moment dat de baan door een nieuwe bliksemflits werd verlicht, zag hij het, een meter of twintig voor hem.

Maar zijn fiets stond er niet.

Eerst dacht hij dat het het verkeerde fonteintje was, dat hij in de storm de verkeerde kant uit was gelopen. Toen herkende hij een dichtbij gelegen gereedschapsschuurtje en een houten kiosk met een frisdrankautomaat.

Het was echt de goede plek. Roy bleef ongelukkig in de regen staan staren naar de plaats waar hij zijn fiets had achtergelaten. Anders dacht hij er altijd aan hem op slot te zetten, maar vandaag had hij te veel haast gehad.

En nu was hij weg. Gestolen, ongetwijfeld.

Om uit de regen te zijn vluchtte hij de houten kiosk in. De doorweekte kartonnen doos begon in zijn handen uit elkaar te vallen. Het was een heel eind lopen naar huis, en Roy wist dat hij niet vóór donker thuis kon zijn. Zijn ouders zouden op hun kop staan. Druipend van de regen bleef hij tien minuten lang in de kiosk staan wachten tot de bui minder werd. De bliksem en de donder schenen naar het oosten weg te trekken, maar de regen hield maar niet op. Ten slotte liep hij naar buiten, zijn hoofd tussen zijn schouders, en vertrok sjokkend in de richting van de buurt waar hij woonde. Bij elke stap spatte het water op. Regendruppels dropen over zijn voorhoofd en bleven aan zijn wimpers hangen. Hij wou dat hij een pet had opgezet.

Toen hij op het trottoir kwam, probeerde hij te rennen, maar het voelde net of hij door een ondiep maar eindeloos meer waadde. Dat was hem al eerder opgevallen aan Florida: het was zo laag en plat dat het een eeuwigheid duurde voor de plassen verdwenen. Hij ploeterde verder en algauw bereikte hij de bushalte waar hij de rennende jongen voor het eerst had gezien. Roy bleef niet staan om rond te kijken. Het werd met de minuut donkerder.

Hij bereikte net de hoek van West Oriole en de grote weg toen de straatlantaarns aanfloepten.

O jee, dacht hij, ik ben echt vreselijk laat.

63

In beide richtingen reed een ononderbroken stroom verkeer, die langzaam voortkroop door het stilstaande water. Roy wachtte ongeduldig. Iedere auto trok een spoor van water dat tegen zijn schenen spatte. Het kon hem niet schelen, hij was toch al doornat. Toen hij een gaatje in het verkeer ontdekte, waagde hij zich de weg op.

'Kijk uit!' schreeuwde een stem achter hem.

Roy sprong terug op de stoep en keek om. Daar was Beatrice Leep, en ze zat op zijn fiets.

'Wat zit er in die schoenendoos, koeienkop?' vroeg ze.

ZEVEN

Hoe het had kunnen gebeuren was niet echt een raadsel.

Net als alle leerlingen woonde Beatrice de Beer in de buurt van de halte waar ze op de schoolbus stapte. Vermoedelijk was Roy langs haar huis gefietst, en toen Beatrice hem in het oog had gekregen was ze hem gewoon naar het golfterrein gevolgd.

'Dat is mijn fiets,' zei hij tegen haar.

'Ja, dat klopt.'

'Mag ik hem terug?'

'Straks misschien,' zei ze. 'Stap maar op.'

'Wat?'

'Op het stuur, sukkel. Kom maar op het stuur zitten. We gaan een eindje fietsen.'

Roy deed wat ze zei. Hij wilde zijn fiets terug, en hij wilde naar huis.

Van twee jaar lang hoge heuvels op en af fietsen in de ijle lucht van Montana was Roy een krachtige fietser geworden, maar Beatrice Leep was sterker. Zelfs door de diepe plassen reed ze snel en moeiteloos, alsof Roy niets woog. Hij zat ongemakkelijk op het stuur, de doorweekte kartonnen doos in zijn handen geklemd.

'Waar gaan we heen?' schreeuwde hij.

'Mond houden,' zei Beatrice.

Ze denderde langs de chique gemetselde ingang van het golfterrein, en algauw ging de geplaveide weg over in een onverhard pad, zonder trottoir of straatlantaarns. Roy zette zich schrap toen de fiets in volle vaart door modderige kuilen hotste. De regen was afgenomen tot mist, en zijn natte shirt voelde koel aan tegen zijn huid.

Beatrice stopte toen ze bij een hoge omheining van gaas kwamen. Roy zag dat er een stukje met een draadschaar was losgeknipt, zodat het opengeklapt kon worden. Hij klom van het stuur af en trok aan zijn spijkerbroek, die tussen zijn billen was gaan zitten. Beatrice zette de fiets neer en wenkte dat Roy haar door het gat in de omheining moest volgen. Ze kwamen op een autokerkhof dat vol stond met lange rijen autowrakken. In het halfdonker slopen Roy en Beatrice verder, van het ene roestige gevaarte naar het volgende. Uit de manier waarop Beatrice zich gedroeg maakte Roy op dat ze niet alleen waren op het terrein.

Algauw kwamen ze bij een oud busje dat op cementblokken stond. Roy kon nog net de verbleekte rode letters op de versleten luifel ontcijferen: JO-JO'S ROOMIJS EN WATERIJS.

Beatrice Leep klom de cabine in en trok Roy mee. Ze ging hem voor door een smalle deuropening naar het achterstuk, dat vol lag met kratten, dozen en stapeltjes kleren. In een hoek zag Roy een opgerolde slaapzak.

Toen Beatrice de deur dichtdeed, stonden ze in het pikdonker; Roy kon geen hand voor ogen zien.

Hij hoorde Beatrices stem: 'Geef hier die doos.'

'Nee,' zei Roy.

'Ben jij op je voortanden gesteld, Eberhardt?'

'Ik ben niet bang voor je,' loog Roy.

Het was bedompt en vochtig in de oude ijswagen. Muggen zoemden Roy om de oren en hij sloeg er blindelings naar. Hij rook iets wat daar niet thuis leek te horen, iets vreemd vertrouwds – koekjes? De wagen rook naar versgebakken pindakaaskoekjes, het soort dat zijn moeder ook bakte.

De felle lichtstraal van een zaklantaarn trof hem recht in zijn ogen en hij wendde zich af.

66

'Voor de laatste keer,' zei Beatrice dreigend, 'wat heb je in die schoenendoos?'

'Schoenen,' zei Roy.

'Geloof je het zelf?'

'Echt waar.'

Ze rukte de doos uit zijn handen en deed hem open. Toen richtte ze de zaklantaarn op de inhoud.

'Ik zei het toch,' zei Roy.

Beatrice snoof. 'Waarom loop jij met een extra paar gympies rond? Dat is echt geschift, koeienkop.'

'Ze zijn niet voor mij,' zei Roy. Ze waren praktisch gloednieuw; hij had ze pas een paar keer aan gehad.

'Voor wie zijn ze dan?'

'Voor een jongen die ik heb ontmoet.'

'Wat voor jongen?'

'Die waarover ik je op school verteld heb. Die toen die keer langs jouw bushalte rende.'

'O,' zei Beatrice sarcastisch, 'die jongen die jij achternaging in plaats van je met je eigen zaken te bemoeien.' Ze deed de zaklantaarn uit en alles werd weer zwart.

'Nou, ik heb hem eindelijk gesproken. Min of meer,' zei Roy.

'Jij geeft het ook niet op, hè?'

'Hoor eens, dat joch moet schoenen hebben. Hij kan wel op een glasscherf of roestige spijkers trappen... of op een watermoccasin.'

'Hoe weet jij dat hij schoenen *wil*, Eberhardt? Misschien kan hij wel sneller rennen zonder.'

Roy wist niet goed waar Beatrice Leep zich zo druk om maakte, maar hij wist wel dat hij veel te laat was voor het avondeten en dat zijn ouders wel doodongerust zouden zijn. Hij was van plan ervandoor te gaan zodra Beatrice de zaklantaarn weer aandeed. Als het hem op de een of andere manier lukte als eerste bij de fiets te zijn, zou hij misschien weg kunnen komen.

'Maakt niet uit,' zei hij. 'Als hij die schoenen niet wil, hou ik ze zelf. Als hij ze wel wil, zullen ze hem wel ongeveer passen. Hij leek net zo groot als ik.'

Vanuit het donker kwam alleen stilte.

'Als je me in elkaar gaat slaan, kun je dan alsjeblieft een beetje opschieten? Mijn vader en moeder zullen zo onderhand wel op het punt staan de veiligheidstroepen te bellen.'

Nog meer zware stilte.

'Beatrice, ben je nog wakker?'

'Wat kan jou die jongen schelen, Eberhardt?'

Dat was een goede vraag en Roy wist eigenlijk niet of hij het antwoord wel onder woorden kon brengen. Er was iets in de uitdrukking op het gezicht van de jongen, die ochtenden dat hij langs de schoolbus rende, iets hardnekkigs en vastberadens, dat hij niet kon vergeten.

'Dat weet ik niet,' zei Roy tegen Beatrice Leep. 'Ik weet het niet.'

De zaklantaarn ging weer aan. Roy dook naar de deur, maar Beatrice greep hem kalm bij de band van zijn broek en trok hem naast zich op de vloer.

Hijgend bleef Roy daar zitten wachten tot hij in elkaar geslagen werd.

Maar ze leek niet kwaad te zijn. 'Welke maat is het?' vroeg ze, terwijl ze de gympies omhoooghield.

'Veertig,' zei Roy.

'Hmm.'

Ze schermde het licht af, hield een vinger voor haar lippen en wees over haar schouder. Toen hoorde Roy de voetstappen buiten.

Beatrice deed de lamp uit en ze wachtten. De stappen op het grind klonken zwaar en log, als de stappen van een forse man. Er rinkelde iets als hij bewoog; een sleutelbos misschien, of losse munten in een broekzak. Roy hield zijn adem in.

Toen de bewaker de ijswagen naderde, gaf hij een dreun tegen een van de bumpers met iets wat klonk als een loden pijp. Roy veerde op maar maakte geen geluid. Gelukkig liep de man door. Eens in de zoveel tijd sloeg hij de pijp luid tegen een autowrak, alsof hij iets uit de schaduwen wilde verjagen.

Toen hij verdwenen was, fluisterde Beatrice: 'Ingehuurde bewaking.'

'Wat doen we hier?' vroeg Roy zacht.

In het donker van de wagen kon hij Beatrice de Beer horen opstaan. 'Zal ik je eens wat zeggen, koeienkop,' zei ze. 'Ik ga een dealtje met je sluiten.'

'Ga door,' zei Roy.

'Ik zorg dat de jongen op blote voeten deze schoenen krijgt, maar alleen als jij belooft hem met rust te laten. Geen gespioneer meer.'

'Dus je kent hem *toch*!'

Ze hees Roy overeind.

'Jazeker ken ik hem,' zei ze. 'Het is mijn broer.'

Om halfvijf 's middags, het tijdstip waarop agent Delinko gewoonlijk klaar was met zijn werk, lag zijn bureau nog vol papieren. Hij moest allerlei formulieren invullen en rapporten maken over wat er met zijn patrouillewagen was gebeurd. Hij bleef doorschrijven tot zijn pols er pijn van deed, en om zes uur zette hij er eindelijk een punt achter.

De politiegarage was een paar blokken verderop, maar het goot van de regen toen de agent moe het hoofdbureau uitkwam. Omdat hij niet wilde dat zijn uniform kletsnat werd, bleef hij onder de dakrand staan wachten, recht onder de letter p van BUREAU VOOR OPENBARE VEILIGHEID, COCONUT COVE.

Steeds meer steden hadden het tegenwoordig over 'openbare veiligheid' als ze de politie bedoelden, een uitdrukking die bedoeld was om een zachter, vriendelijker imago te krijgen. Net als de meeste agenten vond agent Delinko de naamsverandering zinloos.

Een agent was een agent, punt uit. In een noodsituatie was er niemand die riep: 'Gauw! Bel het bureau voor openbare veiligheid!' 'Bel de politie,' werd er altijd geroepen – en dat zou altijd zo blijven. David Delinko was er trots op politieman te zijn. Zijn vader was rechercheur geweest bij de afdeling overvallen in Cleveland, Ohio, en zijn oudste broer was rechercheur moordzaken in Ford Lauderdale – en rechercheur was wat David Delinko ook heel graag wilde worden, later.

Dat later, besefte hij droevig, zou wel eens verder in de toekomst kunnen liggen dan ooit, dankzij de vandalen op het bouwterrein van het pannenkoekenhuis.

Hij stond zijn situatie te overdenken en naar de neerstromende regen te kijken toen de bliksem aan het eind van de straat een elektriciteitspaal raakte. Haastig trok hij zich terug in de hal van het hoofdbureau, waar de plafondverlichting twee keer knipperde en toen uitging.

'Hè, verdorie,' mopperde hij in zichzelf. Er zat niets anders op dan wachten tot de bui voorbij was.

Hij moest steeds maar denken aan de bizarre incidenten op het terrein van Moeder Paula. Eerst die piketpaaltjes die uitgetrokken waren, daarna die alligators die in de toiletten waren gestopt en toen die ramen van zijn patrouillewagen die zwart geverfd waren terwijl hij erin zat te slapen – dat was het werk van brutale, uitdagende daders.

Kinderachtig, dat zeker, maar wel brutaal.

Het was de ervaring van agent Delinko dat kinderen meestal niet zo volhardend waren, of zo stoutmoedig. In typische gevallen van jeugdvandalisme konden de delicten worden toegeschreven aan groepen jongeren die probeerden elkaar met hun lef te overtreffen. Maar dit was geen typisch geval, dacht agent Delinko. Misschien was het het werk van maar één persoon met een wrok – of een missie.

Na een poosje begon de bui af te nemen en dreven de onweers-
wolken van het stadscentrum weg. Agent Delinko hield een krant
boven zijn hoofd en nam een sprint naar de binnenplaats van de
garage. Zijn zelfgepoetste schoenen sopten van het water tegen de
tijd dat hij die bereikte.

De Crown Victoria, die er weer als nieuw uitzag, stond buiten het
afgesloten hek. Agent Delinko had de garagechef gevraagd de
autosleuteltjes in de benzinedop te verbergen, maar ze staken in
het contact, waar iedere voorbijganger ze kon zien. De garagechef
geloofde dat niemand zo gek was een duidelijk herkenbare politieauto te stelen.

Agent Delinko startte de auto en reed in de richting van zijn flat.
Onderweg reed hij langzaam een rondje langs het terrein van het
pannenkoekenhuis, maar daar was geen levende ziel te bekennen.
Dat verbaasde hem niets. Misdadigers hadden net zo'n hekel aan
rotweer als gezagsgetrouwe burgers.

Ook wanneer hij geen dienst had, had agent Delinko altijd de
radio in zijn politiewagen aanstaan. Dat was een van de strikte
regels voor mensen die hun patrouillewagen mee naar huis mochten nemen – altijd je oren openhouden, voor het geval dat een col-
lega-agent hulp nodig heeft.

Deze avond meldde de centrale een paar lichte aanrijdingen en een
jeugdige plaatsgenoot die tijdens het onweer op zijn fiets buiten
was en vermist werd. Roy en-nog-wat. Plotseling gekraak op de
radio maakte het moeilijk de achternaam van de jongen te verstaan.
Zijn ouders zullen wel vreselijk ongerust zijn, dacht agent Delinko, maar die jongen komt heus wel veilig boven water. Vermoedelijk hangt hij gewoon in een van de winkelcentra rond, om te
wachten tot het onweer voorbij is.

Tien minuten later zat de agent nog steeds half-en-half aan de vermiste jongen te denken toen hij een tengere, doorweekte gestalte
op de hoek van West Oriole en de grote weg zag staan. Het was

een jongen die beantwoordde aan de beschrijving die de centrale had doorgegeven: ongeveer een meter vijftig lang, veertig kilo, zandkleurig haar.

Agent Delinko reed naar de stoeprand. Hij liet het raampje zakken en riep over het kruispunt: 'Hé, jongeman!'

De jongen zwaaide en kwam naar de kant van de weg toe. Agent Delinko zag dat hij een fiets aan de hand had, en dat de achterband plat scheen te zijn.

'Heet jij Roy?' vroeg de agent.

'Dat ben ik.'

'Wat zou je ervan zeggen als ik je een lift gaf?'

De jongen stak de straat over met zijn fiets, die met gemak in de ruime kofferbak van de Crown Victoria paste. Agent Delinko nam contact op met de centrale om te melden dat hij de vermiste jongen had gevonden en dat alles in orde was.

'Nou, jouw ouders zullen dolblij zijn je te zien, Roy,' zei hij.

De jongen glimlachte nerveus. 'Ik hoop dat u gelijk hebt.'

Agent Delinko wenste zichzelf in stilte geluk. Niet slecht om zo zijn dienst af te sluiten, voor iemand die tot bureaudienst veroordeeld was! Misschien zou dit helpen om weer in een beter blaadje te komen bij de commandant.

Roy had nog nooit in een politieauto gezeten. Hij zat voorin naast de jonge agent, die bijna voortdurend aan het woord was. Roy probeerde beleefd te zijn en netjes antwoord te geven, maar zijn hoofd tolde nog van wat Beatrice Leep hem over de rennende jongen had verteld.

'Mijn stiefbroer, om precies te zijn,' had ze gezegd.

'Hoe heet hij?'

'Hij heeft zijn naam afgeschaft.'

'Waarom wordt hij Harderhand genoemd? Is hij een indiaan?'

Vroeger in Bozeman had er een jongen bij Roy op school gezeten die Charlie Drie Kraaien heette.

Beatrice Leep had gelachen. 'Nee, hij is geen indiaan! Ik noem hem Harderhand omdat hij met zijn blote handen een harder kan vangen. Heb je enig idee hoe moeilijk dat is?'

Een harder was een glibberige, uit het water opspringende vis die in scholen van honderden stuks zwom. De baai bij Coconut Cove zat er in het voorjaar vol mee. Meestal werden ze gevangen met een werpnet.

'Waarom woont hij niet thuis?' had Roy aan Beatrice gevraagd.

'Lang verhaal. Gaat je niks aan ook.'

'En moet hij niet naar school?'

'Mijn broer is afgevoerd naar een "speciale" school. Daar heeft hij het twee hele dagen uitgehouden voor hij wegliep. Toen is hij terug komen liften, helemaal uit Mobile, Alabama.'

'Wat vinden je ouders daarvan?'

'Die weten niet dat hij hier is en ik ga het hun niet vertellen. Niemand gaat het hun vertellen, begrepen?'

Roy had plechtig zijn woord gegeven.

Nadat ze uit het autokerkhof waren weggeslopen, had Beatrice Roy een pindakaaskoekje gegeven, dat hij hongerig naar binnen had gewerkt. De omstandigheden in aanmerking genomen was het het lekkerste koekje dat hij ooit had gegeten.

Beatrice had gevraagd wat hij zijn vader en moeder wilde vertellen over waar hij had gezeten, en Roy had bekend dat hij daar nog niet helemaal uit was.

Toen had Beatrice een verbijsterende stunt uitgehaald – ze had zijn fiets bij de kettingkast opgetild en een gat in de achterband gebeten, alsof ze een hap uit een pizza nam.

Roy kon haar alleen maar verbijsterd aangapen. Die meid had tanden als een wolf.

'Zo! Nou heb je een lekke band,' had ze gezegd, 'en een tamelijk goed excuus om te laat voor het eten te zijn.'

'Bedankt. Geloof ik.'

'Nou, waar wacht je nog op? Wegwezen.'

Wat een rare familie, had Roy gedacht. Hij zag in gedachten weer voor zich hoe Beatrice in zijn band beet, toen hij de politieman hoorde zeggen: 'Mag ik je iets vragen, jongeman?'

'Ja hoor.'

'Jij zit toch op Trace Middle, hè? Ik vroeg me af of je op school soms hebt horen praten over dingen die gebeurd zijn op de plaats waar het nieuwe pannenkoekenhuis komt te staan.'

'Nee,' antwoordde Roy, 'maar ik heb er wel een artikel over in de krant gezien.'

De agent schoof ongemakkelijk heen en weer.

'Over die alligators,' ging Roy verder, 'en die politieauto die vol verf gespoten is.'

De agent pauzeerde even vanwege een korte hoestbui. Toen zei hij: 'Weet je zeker dat niemand het erover had? Kinderen die zulke dingen doen, lopen er soms graag over op te scheppen.'

Roy zei dat hij niets had gehoord. 'Dit is onze straat,' zei hij, wijzend. 'Wij wonen in het zesde huis links.'

De agent reed de oprit van de familie Eberhardt op en remde. 'Zou je iets voor me willen doen, Roy? Zou je me willen bellen als je toch iets hoort – wat dan ook, al is het maar een gerucht – over dat gedoe bij Moeder Paula? Het is heel belangrijk.'

Hij gaf Roy een gedrukt kaartje. 'Dat is mijn nummer op het bureau, en dat is mijn mobieltje.'

Boven de telefoonnummers stond op het kaartje:

AGENT DAVID DELINKO

Afdeling patrouille

BUREAU VOOR OPENBARE VEILIGHEID,

COCONUT COVE

'Je kunt me op elk moment bellen,' zei agent Delinko. 'Gewoon je ogen en oren openhouden, oké?'

'Goed,' zei Roy, niet al te enthousiast. De agent vroeg hem om voor informant te spelen: iemand die zijn eigen klasgenoten verlinkte. Het leek hem een knap hoge prijs voor een lift naar huis.

Niet dat Roy dat niet waardeerde, maar hij had niet het idee dat hij de agent meer schuldig was dan een welgemeend bedankje. Hoorde het niet bij de taak van een agent om mensen te helpen?

Hij stapte uit en zwaaide naar zijn ouders, die bij de voordeur stonden. Agent Delinko haalde Roys fiets uit de kofferbak en zette hem neer, op de standaard. 'Alsjeblieft,' zei hij.

'Dank u wel,' zei Roy.

'Die band kun je wel bij de Exxon laten plakken. Heb je die aan een spijker te danken?'

'Zoiets.'

Roys vader kwam aanlopen en bedankte de agent dat hij zijn zoon had thuisgebracht. Roy hoorde de twee mannen een praatje maken over politiezaken, en dus nam hij aan dat zijn vader de agent had verteld dat hij voor het ministerie van justitie werkte.

Toen meneer Eberhardt Roys fiets in de garage ging zetten, liet agent Delinko zijn stem zakken en zei: 'Hé, jongeman.'

Wat nou weer, dacht Roy.

'Denk je dat je vader een brief naar de commissaris zou willen schrijven? Of anders naar mijn brigadier? Niks bijzonders, gewoon een aardig briefje over wat er vanavond gebeurd is. Iets wat ze in mijn personeelsdossier kunnen stoppen. Die kleinigheden helpen, echt waar. Dat tikt allemaal aan.'

Roy knikte vaag. 'Ik zal het vragen.'

'Prachtig. Je bent een kanjer.'

Agent Delinko stapte weer in zijn auto. Mevrouw Eberhardt, die naar binnen was gegaan om een handdoek te halen, kwam aanlopen en schudde hem uitvoerig de hand. 'We waren zo ontzettend ongerust. Heel erg bedankt.'

'O, het was niets.' Agent Delinko knipoogde naar Roy.

'U hebt mijn geloof in de politie weer hersteld,' ging Roys moeder verder. 'Eerlijk, ik wist niet wat ik ervan moest denken toen ik dat schandalige verhaal in de krant had gelezen. Dat over die agent bij wie ze de autoramen zwart hadden geschilderd!'

Roy kreeg de indruk dat agent Delinko opeens misselijk werd.

'Een goedenavond, allemaal,' zei hij tegen de Eberhardts, en hij startte de auto.

'Kent u die agent toevallig?' vroeg Roys moeder onschuldig. 'Die in zijn auto in slaap was gevallen? Wat gaat er met hem gebeuren? Wordt hij ontslagen?'

Met gillende banden scheurde agent Delinko achteruit de oprit af en reed weg.

'Misschien een spoedgeval,' zei mevrouw Eberhardt, terwijl ze keek hoe de achterlichten van de patrouillewagen in het donker verdwenen.

'Ja,' zei Roy glimlachend. 'Zou kunnen.'

ACHT

Roy hield zich aan zijn belofte. Hij zocht niet meer naar Beatrice Leeps stiefbroer, hoewel het hem al zijn wilskracht kostte.

Iets wat het makkelijker maakte om thuis te blijven was het weer. Drie dagen lang hield het noodweer aan. Volgens het tv-journaal was er een tropische storm boven het zuiden van Florida blijven steken. Er werd twintig tot dertig centimeter neerslag verwacht. Maar zelfs al had de zon stralend geschenen, Roy kon nergens heen. De man van het benzinestation meldde dat de lekke band niet meer te repareren was.

'Hebben jullie soms een aap als huisdier?' vroeg hij aan Roys vader. 'Want het lijken wel tandafdrukken in die band, dat zweer ik je.' Roys ouders vroegen Roy niet eens wat er gebeurd was. Omdat ze in Montana hadden gewoond, waren ze gewend aan lekke banden. Er was een nieuwe band besteld, maar tot die er was stond Roys fiets werkeloos in de garage. De natte middagen gebruikte hij om huiswerk te maken en een cowboyboek te lezen. Wanneer hij uit het raam van zijn kamer naar buiten keek, zag hij alleen maar plassen. Hij miste de bergen meer dan ooit.

Toen zijn moeder hem die donderdag na school ophaalde, zei ze dat ze goed nieuws had. 'Je verbanning uit de schoolbus is opgeheven!'

Roy stond niet te springen van enthousiasme. 'Waarom? Wat is er gebeurd?'

'Ik geloof dat juffrouw Hennepin de situatie nog eens opnieuw heeft bekeken.'

'Hoe dat zo? Heb je haar gebeld of zo?'

'Ik heb haar een paar keer gesproken, eerlijk gezegd,' gaf zijn moeder toe. 'Het was een kwestie van eerlijkheid, lieverd. Het was niet in de haak dat jou de toegang tot de bus was ontzegd terwijl er niets is gebeurd met die jongen die met vechten begonnen was.'

'Het was geen vechten, mam.'

'Maakt niet uit. Juffrouw Hennepin is het blijkbaar bij nader inzien met ons standpunt eens. Vanaf morgen ga je weer met de bus.'

Hoera, dacht Roy. Je wordt bedankt, mam.

Hij vermoedde dat ze nog een ander motief had om de onderdirectrice achter de vodden te zitten – ze wilde graag weer naar haar ochtendcursus yoga bij de volksuniversiteit, waar ze niet heen kon zolang ze Roy naar Trace Middle moest brengen.

Maar hij wilde niet egoïstisch zijn. Hij kon niet eeuwig van zijn ouders afhankelijk blijven. Misschien zouden de andere kinderen in de bus er niet veel aandacht aan besteden dat hij weer terug was.

'Wat is er, lieverd? Ik dacht dat je blij zou zijn dat alles weer gewoon werd.'

'Dat ben ik ook wel.'

Of het nu morgen is of een andere dag, dacht Roy. Dan hebben we het maar gehad.

Leroy Branitt, de kale man die zich Curly liet noemen, had het veel te zwaar. Zijn ogen prikten van slaapgebrek en hij liep de hele dag te zweten als een otter.

Opzichter zijn bij een bouwproject was een grote verantwoordelijkheid en elke ochtend bracht nieuwe obstakels en zorgen. Dankzij de mysterieuze indringers liep het pannenkoekenhuisproject al twee weken achter op het schema. Vertragingen kostten geld, en de hoge pieten van het bedrijf van Moeder Paula waren er niet blij mee. Curly verwachtte dat hij zou worden ontslagen als er nog iets verkeerd ging. Dat was hem door een hoge leidinggevende van Moeder Paula duidelijk gemaakt. De functie van die man was directeur public relations en hij heette Chuck Muckle, wat Curly eerder een naam voor een circusclown vond.

Chuck Muckle was echter geen lolbroek, vooral niet nadat hij het krantenartikel had gelezen over de politieauto die op Moeder Paula's terrein met verf was bespoten. Het viel onder zijn verantwoordelijkheid Moeder Paula's waardevolle merknaam buiten de media te houden, behalve wanneer het bedrijf een nieuwe vestiging opende of iets nieuws op het menu zette (zoals zijn sensationele limoenwafels).

In al zijn jaren als opzichter in de bouw had Curly nog nooit een telefoontje gekregen als dat van Chuck Muckle nadat het artikel in de krant had gestaan. Nog nooit was hij een kwartier lang nonstop uitgekafferd door de pr-directeur van een bedrijf.

'Hé, *ik* kan er niks aan doen,' had Curly hem ten slotte onderbroken. 'Ik ben niet degene die tijdens zijn werk in slaap is gevallen. Dat was die agent!'

Chuck Muckle gebood hem niet zo te jammeren en zich als een man te gedragen. 'U bent toch de voorman, meneer Branitt?'

'Ja, maar –'

'Nou, u wordt een werkloze voorman als zoiets nog eens gebeurt. Moeder Paula is een beursgenoteerd bedrijf en heeft een wereldwijde reputatie te beschermen. Dit is *niet* het soort aandacht dat goed is voor ons imago. Begrepen?'

'Jazeker,' had Curly gezegd, al snapte hij het helemaal niet. Enthousiaste pannenkoekeneters zou het niets kunnen schelen wat er met die politieauto gebeurd was, of zelfs dat er alligators in die wc's hadden gezeten. Tegen de tijd dat het restaurant openging, zou al dat vreemde gedoe allang vergeten zijn.

Maar Chuck Muckle was niet in de stemming geweest voor een redelijke discussie. 'Nu moet u eens goed luisteren, meneer Branitt. Die onzin moet afgelopen zijn. Zodra we opgehangen hebben, gaat u erop uit om de grootste, bloeddorstigste waakhonden te huren die u kunt vinden. Rottweilers zijn de beste, maar dobermans kunnen ook.'

'Komt voor elkaar.'

'Is het terrein al bouwrijp?'

'Het regent,' had Curly gezegd. 'Ze zeggen dat het de hele week blijft regenen.' Hij bedacht dat Chuck Muckle ook wel een manier zou bedenken om hem de schuld van het slechte weer te geven.

'Ongelooflijk,' had de directeur gegromd. 'Geen vertragingen meer, hebt u me gehoord? Geen enkele.'

Het plan was het terrein bouwrijp te maken en dan de vips en de media uit te nodigen om met een feestelijke plechtigheid officieel aan de bouw te beginnen. Het hoogtepunt zou worden gevormd door een speciaal optreden van de vrouw die in advertenties en tv-spotjes Moeder Paula speelde.

Ze heette Kimberly Lou Dixon en ze was in 1987 of 1988 tweede geworden bij de verkiezing van Miss Amerika. Daarna was ze actrice geworden, al kon Curly zich niet herinneren haar ooit in iets anders te hebben gezien dan in die reclamefilmpjes voor het pannenkoekenhuis. Daarvoor trokken ze haar een katoenen schort aan en zetten ze haar een grijze pruik en een omabrilletje op om haar op een oude dame te laten lijken.

'Ik zal uitleggen waarom u op straat staat als dit project nog meer vertraging oploopt,' zei Chuck Muckle tegen Curly. 'De periode dat mevrouw Dixon beschikbaar is, is uitermate beperkt. Over een paar weken begint ze met de opnamen van een grote speelfilm.'

'Ga weg. Hoe heet hij?' Curly en zijn vrouw waren gek op films.

'*Invasie van de Mutanten van Jupiter Zeven,*' zei Chuck Muckle. 'Het probleem ligt als volgt, meneer Branitt: als het feestelijke begin van de bouw wordt uitgesteld kan mevrouw Kimberly Lou Dixon er niet bij aanwezig zijn. Dan is zij al onderweg naar Las

Cruces, New Mexico, en bezig met de voorbereidingen voor haar rol als Koningin van de Sprinkhaanmutanten.'

Wauw, dacht Curly. Ze speelt de koningin!

'Zonder de aanwezigheid van mevrouw Dixon is die gebeurtenis geen publiekstrekker meer en lopen we een hoop publiciteit mis. Zij is het icoon van het bedrijf, meneer Branitt. Ze is wat Colonel Sanders is voor Kentucky Fried Chicken, wat de kerstman is voor Coca-Cola, wat –'

'Ronald McDonald is voor McDonald's?' vroeg Curly.

'Ik ben blij dat u begrijpt wat er op het spel staat.'

'Dat doe ik zeker, meneer Muckle.'

'Uitstekend. Als alles vlot verloopt, hoeven u en ik elkaar nooit meer te spreken. Zou dat niet prettig zijn?'

'Ja, meneer,' bevestigde Curly.

Het eerste dat hem te doen stond, was een omheining om het bouwterrein neerzetten. Het was niet gemakkelijk iemand te vinden die in de regen wilde werken, maar Curly regelde het uiteindelijk met een bedrijfje in Bonita Springs. Nu was de omheining klaar en hoefde hij alleen nog maar te wachten tot de trainer met de waakhonden arriveerde.

Curly was een tikje zenuwachtig. Hij was niet echt een hondenmens. Zijn vrouw en hij hadden zelfs nog nooit een huisdier gehad, tenzij je de zwerfkat meetelde die af en toe lag te slapen onder de veranda aan de achterkant van het huis. Die kat had niet eens een naam en dat vond Curly wel best. Hij had al genoeg te stellen met de mensen in zijn leven.

Om halfvijf reed er een rode truck met een dichte bak tot naast de bouwkeet. Curly trok een gele poncho over zijn glimmende hoofd en liep de aanhoudende motregen in.

De trainer was een gespierde man met een snor, die zich voorstelde als Kalo. Hij praatte met een buitenlands accent, net zo'n accent als de Duitse soldaten altijd hadden in films over de Tweede

Wereldoorlog. Curly hoorde hoe de honden in de bak van de truck zich woest blaffend tegen de achterklep stortten.

'Oe gaat naar haus nou, jaah?'

Curly keek op zijn horloge en knikte.

'Ik sloit het hek af. Ik kom morgenoktend vroeg teruk, die hoenden holen.'

'Mij best,' zei Curly.

'Gebeurt iets, oe mai meteen bellen. Die hoenden niet aanraken,' waarschuwde Kalo. 'Niet tegen die hoenden praten. Niet die hoenden voeren. Belangraik, jaah?'

'Ja, hoor.' Curly wilde niets liever dan bij die monsters uit de buurt blijven. Hij reed zijn pick-uptruck achteruit het terrein af en deed het hek dicht.

Kalo wuifde vriendelijk; toen liet hij de waakhonden los. Ze waren ontzettend groot, allemaal rottweilers. Ze begonnen met lange passen langs de omheining te lopen, dwars door de plassen heen. Toen ze bij het hek kwamen, sprongen ze alle vier overeind, ertegenaan, grauwend en happend naar Curly aan de andere kant.

Kalo kwam aanrennen terwijl hij in het Duits commando's schreeuwde. Onmiddellijk hielden de rottweilers op met blaffen en gingen zitten, hun zwarte oren aandachtig gespitst.

'Misskien beste oe gaat nou,' zei Kalo tegen Curly.

'Hebben ze ook namen?'

'O jaah. Die hoend daar is Max. Die daar Klaus. Daarzo Karl. En die groosse is Poepie.'

'Poepie?' vroeg Curly.

'Is main lieve skatje. Ik heb hem helemaal uit München meegebrakt.'

'Hebben ze geen last van die regen?'

Kalo grinnikte. 'Zai hebben zelfs geen last van orkaan. Oe gaat naar haus nou, keen zorgen maken. Die hoenden, zai houden voor oe de wakt.'

Toen hij naar zijn truck terugliep, merkte Curly dat de rottweilers al zijn bewegingen in de gaten hielden. Ze hijgden licht en er zaten klodders schuimend speeksel op hun snuiten.

Curly bedacht dat hij nu eindelijk eens een goede nacht slaap zou krijgen. De vandalen konden beslist niet op tegen zo'n tweehonderdvijftig kilo kwaadaardig hondenvlees.

Ze zouden geschift moeten zijn om over de omheining te springen, dacht Curly. Volkomen waanzinnig.

De volgende ochtend bood Roys moeder aan hem op weg naar haar cursus yoga bij de bushalte af te zetten. Roy bedankte voor het aanbod. Het was eindelijk opgehouden met regenen en hij had zin om te lopen.

Er woei een fris briesje vanaf de baai en de scherpe zilte lucht smaakte lekker. Zeemeeuwen cirkelden boven zijn hoofd, terwijl twee visarenden in een nest boven op een betonnen elektriciteitspaal tegen elkaar zaten te piepen. Rond de voet van de paal lagen verbleekte stukken hardergraat, die door de vogels waren schoongepikt en weggegooid.

Roy bleef even staan om de visgraten te bekijken. Toen ging hij een stukje achteruit en tuurde omhoog naar de visarenden. Hun koppen waren net zichtbaar boven het slordige nest. Hij kon zien dat de ene groter was dan de andere; misschien een moeder die haar jong leerde jagen.

In Montana leefden er visarenden in de populieren overal langs de grote rivieren, waar ze naar forel en andere vissoorten doken. Het was een aangename verrassing voor Roy geweest dat er in Florida ook visarenden waren. Het was merkwaardig dat een en dezelfde vogelsoort kon leven op twee plaatsen die zo ver van elkaar lagen, en die zo volkomen verschillend waren.

Als zij het kunnen, dacht Roy, dan kan ik het misschien ook wel.

Hij bleef zo lang rondhangen en naar het nest kijken dat hij bijna de schoolbus miste. Het laatste stukje moest hij rennen om bij de halte te komen voor de bus wegreed, en hij was de laatste die instapte.

De andere kinderen werden vreemd stil toen Roy door het middenpad liep. Toen hij ging zitten, stond het meisje dat bij het raam zat snel op om een rij op te schuiven.

Roy kreeg een akelig voorgevoel, maar hij wilde zich niet omdraaien om te zien of hij gelijk had. Hij ging voorovergebogen zitten en deed of hij zijn stripboek las.

Hij hoorde anderen fluisteren op de bank achter hem, gevolgd door een haastig bij elkaar rapen van boeken en rugzakken. In een oogwenk waren ze verdwenen, en Roy voelde de aanwezigheid van een groter iemand die stilletjes achter hem kwam zitten.

'Hoi, Dana,' zei hij terwijl hij zich langzaam omdraaide.

'Hé, koeienkop.'

Na een week was Dana Mathersons neus nog steeds een beetje paars en gezwollen, al stak hij beslist niet midden uit zijn voorhoofd, zoals Garrett had beweerd.

Het enige verontrustende aan Dana's uiterlijk was zijn opgezette bovenlip, die vol korsten zat. Zo had hij er nog niet uitgezien toen Roy zijn brief bij Dana thuis had afgegeven. Roy vroeg zich af of Dana's moeder hem een knal op zijn mond had gegeven.

Die nieuwe verwonding had tot gevolg dat de grote lummel ontstellend sliste. 'Ik heb nog een appeltje met je te sjchillen, Eberhardt.'

'Wat voor appeltje?' vroeg Roy. 'Ik heb excuus aangeboden, dus we staan quitte.'

Dana klemde een klamme hand zo groot als een ham om Roys gezicht. 'Wij sjijn nog lang niet quitte, jij en ik.'

Roy kon niet praten omdat zijn mond bedekt werd – niet dat hij veel te zeggen had. Hij gluurde nijdig tussen Dana's worstvingers door, die naar sigaretten stonken.

'Je krijgt er nog wel sjpijt van dat je me dwarsj hebt gesjeten,' gromde Dana. 'Ik ga je het leven goed sjuur maken.'

De schoolbus kwam plotseling tot stilstand. Dana liet vlug Roys gezicht los en vouwde keurig zijn handen, voor als de chauffeur soms in de achteruitkijkspiegel keek. Er stapten drie leerlingen in die bij Roy in de klas zaten; toen ze Dana in de gaten kregen waren ze zo wijs gauw voorin te gaan zitten.

Zodra de bus weer begon te rijden, wilde Dana Roy weer beetgrijpen, maar die sloeg kalm zijn arm weg. Dana veerde terug en staarde hem ongelovig aan.

'Heb je die brief soms niet eens gelezen?' vroeg Roy. 'Niks aan de hand zolang jij me gewoon met rust laat.'

'Sjloeg jij mij net? Raakte jij mijn arm?'

'Doe me maar een proces aan,' zei Roy.

Dana's ogen gingen wijd open. 'Wat sjei je daar?'

'Ik sjei dat jij je oren eens moet laten nakijken, makker, tegelijk met je IQ.'

Roy wist niet goed wat hem bezielde om zo'n gewelddadige jongen uit te dagen. Hij vond het niet bijzonder prettig om in elkaar geslagen te worden, maar het alternatief was kruipen en smeken, en dat was zijn eer te na.

Iedere keer dat de Eberhardts van de ene plaats naar de andere verhuisden liep Roy weer een heel nieuw stel pestkoppen en eikels tegen het lijf. Hij beschouwde zichzelf als expert op dat gebied. Als hij voet bij stuk hield gaven ze het gewoonlijk wel op of zochten iemand anders om op zijn nek te zitten. Maar hen beledigen kon riskant zijn.

Roy zag dat een paar van Dana's stomme vrienden het tafereel van achter uit de bus gadesloegen. Daarom zou Dana zich verplicht voelen te laten zien wat een macho hij was.

'Sla me maar,' zei Roy.

'Wat?'

'Toe dan, als je het toch niet laten kunt.'

'Jij bent echt gesjtoord, Eberhardt.'

'En jij bent zo stom als een emmer modder, Matherson.'

Dat werkte. Dana deed een uitval over de bank heen en gaf Roy een dreun tegen de zijkant van zijn hoofd.

Nadat hij weer recht was gaan zitten, vroeg Roy: 'Zo. Voel je je nou beter?'

'Geloof dat maar!' riep Dana.

'Mooi.' Roy draaide zich om en sloeg zijn stripboek weer open. Weer gaf Dana hem een dreun. Roy kiepte opzij op de bank. Dana lachte gemeen en schreeuwde iets naar zijn maten.

Roy ging meteen weer rechtop zitten. Zijn hoofd deed flink pijn, maar hij wilde niet dat iemand dat merkte. Nonchalant raapte hij zijn stripboek van de vloer en legde het op zijn schoot.

Dit keer raakte Dana hem met zijn andere hand, die al net zo vet en klam was. Toen Roy neerging, kwam er onwillekeurig een kreet uit zijn mond, die verloren ging in het luide, gasachtige gesis van de remmen.

Eén hoopvol moment dacht Roy dat de chauffeur had gezien wat er gebeurde en aan de kant ging staan om tussenbeide te komen. Jammer genoeg was dat niet het geval – de chauffeur had even weinig oog voor Dana's misdragingen als anders. De schoolbus was alleen maar bij de volgende halte aangekomen.

Terwijl een nieuwe rij scholieren instapte, gedroeg Dana zich als een modelburger. Roy keek omlaag en hield zijn ogen op zijn stripboek gericht. Hij wist dat de aanval zou worden voortgezet zodra de bus doorreed, en grimmig zette hij zich schrap voor Dana's volgende klap.

Maar die kwam niet.

Straat na straat zat Roy stokstijf op zijn plek te wachten tot hij weer werd neergeslagen. Ten slotte kon hij zijn nieuwsgierigheid niet meer bedwingen en gluurde hij over zijn linkerschouder.

Hij kon zijn ogen nauwelijks geloven. Dana hing met een zuur gezicht tegen het raampje. De pret van die stomme sukkel was bedorven door een van de leerlingen die bij de laatste halte waren ingestapt, en die dapper genoeg was geweest om naast hem te komen zitten.

'Wat zit *jij* te staren?' beet de nieuwkomer Roy toe.

Ondanks zijn bonzende hoofdpijn moest Roy wel glimlachen.

'Hoi, Beatrice,' zei hij.

NEGEN

Op school was het zenuwslopend. Elke keer dat Roy een nieuw lokaal binnenkwam, hielden de andere kinderen op met wat ze aan het doen waren en staarden hem aan. Het leek wel of ze verbaasd waren hem nog in leven te zien, met al zijn ledematen intact. Toen hij na wiskunde naar buiten kwam, hoorde Roy een gigantisch scheetgeluid achter zich in de gang – Garrett. Hij pakte Roy bij zijn mouw en trok hem mee de wc's in.

'Je ziet er ziek uit. Je moet maar eerder naar huis gaan,' adviseerde hij.

'Ik voel me prima,' zei Roy, maar dat was niet waar. Hij had nog steeds hoofdpijn van de dreunen die Dana hem in de bus had gegeven.

'Nou moet je eens goed luisteren, man,' zei Garrett. 'Kan me niet schelen hoe je *denkt* dat je je voelt. Je bent ziek. Echt goed ziek, ja? Je moet je moeder bellen en naar huis gaan.'

'Wat heb je gehoord?'

'Hij wacht je op na het zevende uur.'

'Hij doet maar,' zei Roy.

Garrett trok Roy een van de wc-hokjes in en deed de deur aan de binnenkant op slot.

'Het is zo stom,' zei Roy.

Garrett hield zijn vinger voor zijn lippen. 'Ik ken iemand die bij gym in dezelfde groep zit als Dana,' fluisterde hij opgewonden. 'Hij zegt dat Dana je te pakken neemt vóór je vanmiddag in de bus stapt.'

'En dan?'

'Jaah!'

'Gewoon hier op school? Hoe dan?' vroeg Roy.

'Man, ik zou hier maar niet blijven rondhangen om daarachter te komen. Hé, je had trouwens helemaal niet verteld dat je hem ook op zijn bek had geraakt.'

'Dat was ik niet. Sorry.' Roy deed de deur van het slot en duwde zijn vriend zachtjes naar buiten.

'Wat ga je doen?' riep Garrett over de deur heen.

'Pissen.'

'Nee, ik heb het over je-weet-wel.'

'Ik bedenk wel wat.'

Maar wat? Zelfs al lukte het Roy Dana Matherson die middag te ontlopen, dan nog zou de ellende maandag weer van voren af aan beginnen. Dana zou weer achter hem aan komen, en Roy zou weer een nieuw ontsnappingsplan moeten verzinnen. En zo zou het blijven, elke dag weer, tot in juni de zomervakantie begon.

Roy had wel andere mogelijkheden, maar die waren weinig aantrekkelijk. Als hij Dana bij juffrouw Hennepin rapporteerde, zou ze hem alleen maar op het matje roepen om hem ernstig toe te spreken, en daar zou Dana gewoon om lachen. Wie nam er nu een onderdirectrice serieus die één stugge haar boven haar lip liet groeien?

Als Roy zijn ouders over die toestand met Dana vertelde zouden ze daar wel eens zo van kunnen schrikken dat ze hem van Trace Middle af haalden. Dan zou het erop uitdraaien dat hij op de bus naar een of andere particuliere school werd gezet, waar hij iedere dag hetzelfde stomme schooluniform aan moest en (volgens Garrett) Latijn moest leren.

Een derde mogelijkheid was dat Roy nog een poging deed Dana zijn excuses aan te bieden, dit keer een en al wroeging en oprechtheid. Dat zou niet alleen vernederend zijn, maar waarschijnlijk ook niet het verlangde effect hebben: Dana zou gewoon doorgaan hem genadeloos te pesten.

Zijn laatste alternatief was terugvechten. Roy was een praktische jongen; hij wist dat zijn kansen minimaal waren. Hij had het voordeel van snelheid en verstand, maar Dana was groot genoeg om hem als een druif te pletten.

Roy moest denken aan die keer dat hij het met zijn vader over vechten had gehad. 'Het is belangrijk te staan voor wat juist is,' had meneer Eberhardt gezegd, 'maar soms is er maar een vage grens tussen moed en domheid.'

Roy vermoedde dat vechten met Dana Matherson in de tweede categorie viel.

Hoewel hij het vooruitzicht tot pulp geslagen te worden weinig aantrekkelijk vond, maakte hij zich nog meer zorgen over het effect dat dat op zijn moeder zou hebben. Hij was zich er sterk van bewust dat hij enig kind was, en hij wist dat zijn moeder er kapot van zou zijn als hem iets ergs overkwam.

Roy had bijna een zusje gehad, al werd hij niet verondersteld dat te weten. Zijn moeder droeg de baby vijf maanden lang, maar werd toen op een avond vreselijk ziek, zodat ze haastig met de ambulance naar het ziekenhuis gebracht moest worden. Toen ze een paar dagen later thuiskwam, was de baby er niet meer, en niemand legde duidelijk uit hoe dat kwam. Roy was op dat moment pas vier, en zijn ouders waren zo verdrietig dat hij niets durfde te vragen. Een paar jaar later legde een ouder nichtje hem uit wat een miskraam was, en ze vertrouwde hem toe dat de baby die zijn moeder verloren had een meisje was geweest.

Sinds die tijd probeerde Roy zijn ouders niet onnodig reden te geven zich zorgen om hem te maken. Of het nu te paard, op een fiets of op een snowboard was, hij deed niet mee aan de wilde, gewaagde stunts die jongens van zijn leeftijd gewoonlijk uithaalden – niet omdat hij bang was, maar omdat hij dat zijn plicht als enig kind vond.

En kijk nu eens wat hij die ochtend in de schoolbus had gedaan:

hij had die hersenloze sukkel beledigd die toch al zijn bloed kon drinken. Soms begreep Roy niet wat hem bezielde. Soms had hij meer trots dan goed voor hem was.

De laatste les van die dag was vaderlandse geschiedenis. Nadat de bel was gegaan, wachtte Roy tot de andere leerlingen de klas uit waren. Toen wierp hij voorzichtig een blik de gang in: geen Dana Matherson te zien.

'Is er iets, Roy?'

Het was meneer Ryan, de geschiedenisleraar, die achter hem stond.

'Nee, niks aan de hand,' zei Roy luchtig terwijl hij de klas uitliep.

Meneer Ryan deed de deur achter hen dicht.

'Gaat u ook naar huis?' vroeg Roy.

'Was het maar waar. Ik moet werkstukken nakijken.'

Roy kende meneer Ryan niet erg goed, maar hij liep helemaal tot de lerarenkamer met hem mee. Hij praatte over van alles en nog wat en probeerde te doen of er niets aan de hand was, maar intussen keek hij voortdurend achter zich, om te zien of Dana ergens op de loer lag.

Meneer Ryan had tijdens zijn studie football gespeeld en was sindsdien niet gekrompen, zodat Roy zich aardig veilig voelde. Het was bijna net zo prettig als naast zijn vader lopen.

'Neem jij de bus naar huis?' vroeg meneer Ryan.

'Ja,' antwoordde Roy.

'Maar is de opstapplaats niet aan de andere kant van de school?'

'O, ik neem gewoon een beetje lichaamsbeweging.'

Toen ze bij de deur van de lerarenkamer kwamen, zei meneer Ryan: 'Vergeet het proefwerk van maandag niet.'

'Nee, hoor. De oorlog van 1812,' zei Roy. 'Ik ben er klaar voor.'

'O ja? Wie won de slag op het Eriemeer?'

'Commodore Perry.'

'Welke, Matthew of Oliver?'

Roy deed een gok. 'Matthew?'

91

Meneer Ryan knipoogde. 'Ik zou nog maar wat studeren,' zei hij, 'maar toch een prettig weekend.'

Toen stond Roy alleen in de gang. Het was verbazingwekkend hoe snel een school na de laatste bel leegliep: alsof iemand de stop uit een gigantisch bubbelbad had getrokken. Roy luisterde aandachtig of hij voetstappen hoorde – sluipende voetstappen – maar hij hoorde alleen het *tik-tik-tik* van de klok die boven de deur naar het scheikundepracticum hing.

Hij zag dat hij nog precies vier minuten had om bij de opstapplaats van de bus te komen. Toch maakte hij zich geen zorgen, want hij had al een korte route via de gymzaal gepland. Hij was van plan als een van de allerlaatsten in te stappen. Dan kon hij op een van de lege plaatsen voorin gaan zitten en er bij zijn halte snel uitspringen. Dana en zijn maten zaten gewoonlijk helemaal achterin en vielen zelden de kinderen lastig die vlak bij de chauffeur zaten.

Niet dat meneer Kesey ooit iets zou merken, dacht Roy.

Hij rende naar het einde van de gang en sloeg rechtsaf, in de richting van de dubbele deur die de achteringang van de gymzaal vormde. Hij haalde het nog bijna ook.

'Even voor alle duidelijkheid, meneer Branitt. U hebt het niet bij de politie aangegeven?'

'Nee, meneer,' zei Curly nadrukkelijk in de telefoon.

'Dus er staat niets op papier, klopt dat? Absoluut onmogelijk dat deze nieuwste vertoning in de pers terechtkomt.'

'Ik zou niet weten hoe, meneer Muckle.'

Curly had er alweer een lange, ontmoedigende dag opzitten. De zon was eindelijk door de wolken heen gekomen, maar daarna was het alleen maar slechter gegaan. Het terrein was nog steeds niet bouwrijp en de graafwerktuigen stonden nog steeds te niksen.

Curly had het telefoontje naar het hoofdkantoor van Moeder Paula zo lang mogelijk voor zich uit geschoven.

'Dit is toch geen flauwe grap van u, hè?' had Chuck Muckle gesnauwd.

'Het is echt geen grap.'

'Vertel het dan nog maar eens, meneer Branitt. Het hele ellendige verhaal.'

En Curly had alles nog eens herhaald, vanaf het moment waarop hij die ochtend op het bouwterrein was aangekomen. Het eerste teken van onraad was Kalo geweest, die langs de binnenkant van de omheining zwaaiend met een gescheurde rode paraplu achter zijn vier waakhonden aan zat. Hij liep hysterisch in het Duits te krijsen.

Omdat hij geen zin had door de honden verscheurd te worden (of door de paraplu doorboord), was Curly buiten het hek gebleven, vol verbazing toekijkend. Er was een patrouillewagen van de politie van Coconut Cove gestopt om te zien wat er aan de hand was – agent Delinko, dezelfde die die was ingedut terwijl hij het bouwterrein 'bewaakte'. Het was zijn schuld dat het fiasco met die spuitbus verf de krant had gehaald en Curly moeilijkheden met zijn opdrachtgever had bezorgd.

'Ik was op weg naar het bureau toen ik die opschudding zag,' had agent Delinko gezegd. Hij moest zijn stem verheffen om boven het geblaf van de rottweilers uit te komen. 'Wat is er met die honden aan de hand?'

'Niks,' had Curly geantwoord. 'Gewoon een trainingsoefening.'

De agent had hem geloofd en was weggereden, tot Curly's grote opluchting. Zodra de rottweilers veilig aangelijnd waren had Kalo hen de auto ingejaagd en de achterklep op slot gedaan. Daarna had hij zich woedend tot Curly gewend en met zijn paraplu in zijn richting geprikt. 'Oe! Oe probeert main hoenden te vermoorden!'

De voorman had zijn handen geheven. 'Waar heb je het over?'

Kalo had het hek opengegooid en was op Curly af komen benen. Die vroeg zich af of hij een steen moest oprapen om zich te kun-

93

nen verdedigen. Kalo was drijfnat van het zweet; de aderen in zijn nek puilden uit.

'Sjlangen!' Hij had het woord uitgespuugd.

'Wat voor slangen?'

'Jaah! Oe weet best wat voor sjlangen! Het sjtikt er hier van. Kiftige!' Op dat punt had Kalo een van zijn pinken heen en weer bewogen. 'Kiftige sjlangen met glinsjterende sjtaarten.'

'Ik wil niks zeggen, maar jij bent echt krankjorum.' Curly had nog nooit ook maar één slang op het terrein gezien en hij zou het zich beslist herinneren als dat wel zo was. Slangen bezorgden hem de kriebels.

'Krankjoroem, zegt oe?' Kalo had hem onder zijn ene arm gegrepen en hem meegetrokken naar de bouwkeet die als Curly's kantoortje dienstdeed. Daar, lekker opgerold op de tweede trede, lag een dik, gevlekt exemplaar dat Curly herkende als een watermoccasinslang, die veel voorkwam in Zuid-Florida.

Kalo had gelijk: hij was heel giftig. En zijn staart glinsterde.

Curly was onwillekeurig achteruitgedeinsd. 'Volgens mij overdrijf je een beetje,' had hij tegen Kalo gezegd.

'Jaah? Denkt oe dat?'

Daarna had de hondentrainer hem meegesleept naar de omheining om hem nog een watermoccasin aan te wijzen, en toen nog een, en nog een – negen in totaal. Curly was verbijsterd.

'Wat denkt oe nou? Kalo is krankjoroem?'

'Ik snap niet hoe dat kan,' had Curly ontdaan toegegeven. 'Misschien zijn ze door al die regen uit het moeras gekomen.'

'Jaah, vast.'

'Hoor eens, ik –'

'Nee, oe moet horen. Elke hoend is driedauzend dollars waard. Dat is twaalfdauzend dollars die daar in die auto aan het blaffen zain. Wat gebeurt als hoend door sjlang gebeten wordt? Hoend gaat dood, jaah?'

'Ik wist helemaal niet dat er slangen zaten, dat zweer –'
'Is een woender hoenden zain allemaal oké. Poepie, de sjlang kwam zo dikt bai hem!' Kalo had een afstand van een kleine meter aangegeven. 'Ik pak paraplu en duw hem weg.'
Dat was ongeveer het moment geweest waarop Kalo per ongeluk in een uilenhol was getrapt en zijn enkel had verstuikt. Hij had de assistentie die Curly aanbood geweigerd en was op één been naar zijn auto teruggehinkt.
'Ik ga noe. Belt oe mai nooit weer,' had hij woedend geroepen.
'Ik zei toch dat het me speet. Hoeveel ben ik je schuldig?'
'Twee rekeningen sjtuur ik. Eén voor die hoenden, één voor main been.'
'Ja zeg, kom nou.'
'Oké, misskien niet. Misskien praat ik wel met advocaat.' Kalo's lichte ogen hadden geglinsterd. 'Misskien kan ik niet meer hoenden trainen, main been doet zo'n pain. Misskien word ik, hoe noemt oe dat, arbeidsongeskikt!'
'Maak het nou!'
'Moeter Paula is heel groot bedraif. Heeft veel geld, jaah?'
Nadat Kalo was weggescheurd, was Curly voorzichtig naar de keet gelopen. De watermoccasin lag niet meer te zonnebaden op de trede, maar Curly nam geen risico. Hij zette een trapje neer en hees zichzelf door een raampje naar binnen.
Gelukkig had hij het telefoonnummer bewaard van de reptielenvanger die met succes de alligators uit de toiletten had gevist. De man was op pad om een leguaan te vangen, maar zijn secretaresse beloofde dat hij zo snel mogelijk naar het bouwterrein zou komen.
Curly had zich bijna drie uur in de bouwkeet schuilgehouden, tot de reptielenvanger voor het hek stilhield. Gewapend met niet meer dan een kussensloop en een aangepaste golfclub had de man het terrein van het pannenkoekenhuis systematisch uitgekamd op zoek naar watermoccasins met glitters op hun staart.

Het was ongelooflijk, maar hij had er niet één gevonden.
'Dat kan helemaal niet!' had Curly uitgeroepen. 'Vanochtend stikte het er nog van.'
De reptielenvanger had zijn schouders opgehaald. 'Slangen kunnen onvoorspelbaar zijn. Wie weet waar ze naartoe zijn.'
'Dat is *niet* wat ik wil horen.'
'Weet u zeker dat het moccasins waren? Ik heb er nog nooit eentje met een glinsterende staart gezien.'
'Bedankt voor al uw hulp,' had Curly hatelijk gezegd, waarna hij de deur van de keet had dichtgesmeten.
Nu was hij zelf het doelwit van chagrijnig sarcasme. 'Misschien kunt u die slangen trainen om het terrein te bewaken,' zei Chuck Muckle, 'nu het met die honden niets geworden is.'
'Zo grappig is het niet.'
'Daar hebt u gelijk in, meneer Branitt. Het is absoluut niet grappig.'
'Die watermoccasins kunnen iemand doden,' zei Curly.
'U meent het. Kunnen ze ook een bulldozer doden?'
'Eh… dat denk ik niet.'
'Waar wacht u dan nog op?'
Curly zuchtte. 'Ja, meneer. Meteen maandagochtend.'
'Zo mag ik het horen,' zei Chuck Muckle.

In de bezemkast rook het doordringend naar bleekwater en schoonmaakmiddelen. Het was er vrijwel pikdonker.
Dana Matherson had zijn hand uitgestoken en Roy vastgegrepen toen hij naar de gymzaal rende. Hij had hem de kast in getrokken en de deur met een klap gesloten. Roy was behendig aan Dana's klamme greep ontsnapt en nu zat hij in elkaar gedoken op de rommelige vloer, terwijl Dana rondstommelde en blindelings klappen uitdeelde.
Schuivend op zijn achterste bewoog Roy zich in de richting van

een flinterdunne streep licht die, naar hij aannam, door een spleet onder de deur door viel. Ergens boven hem klonk een klap, en toen gejank van pijn – zo te horen had Dana een meedogenloze uppercut uitgedeeld aan een aluminium emmer.

Op de een of andere manier wist Roy in het donker de deurknop te vinden. Hij zwaaide de deur open en dook de vrijheid tegemoet. Alleen zijn hoofd bereikte de gang voor Dana hem weer te pakken had. Roys vingertoppen gingen piepend over het linoleum terwijl hij achteruit werd getrokken, en weer verstomden zijn hulpkreten achter de dichtgaande deur.

Terwijl Dana hem van de vloer omhoogrukte, tastte Roy wanhopig naar iets om zich mee te verdedigen. Zijn rechterhand vond iets wat aanvoelde als een houten bezemsteel.

'Nou heb ik je, koeienkop,' fluisterde Dana schor.

Hij nam Roy in een stevige houdgreep die de lucht uit zijn longen duwde als uit een accordeon. Roys armen werden tegen zijn zijden gedrukt; zijn benen bungelden slap omlaag als de benen van een lappenpop.

'En, heb je er nou geen sjpijt van dat je me dwarsj hebt gesjeten?' vroeg Dana smalend.

Roy werd duizelig, de bezemsteel viel uit zijn vingers en het kabaal van beukende golven vulde zijn oren. Dana klemde hem zo stijf vast dat hij bijna gesmoord werd, maar hij merkte dat hij zijn onderbenen nog kon bewegen. Met alle kracht die hij nog kon opbrengen begon hij met allebei zijn voeten te schoppen.

Een ogenblik lang gebeurde er niets – toen voelde Roy zichzelf vallen. Hij landde op zijn rug, zodat zijn rugzak de klap opving. Het was nog steeds te donker om te kunnen zien, maar uit Dana's gekreun en gehijg maakte Roy op dat hij een schop tegen een erg gevoelig deel van zijn lichaam had gekregen.

Roy wist dat hij vlug moest zijn. Hij probeerde zich om te rollen, maar hij was verzwakt en buiten adem door Dana's brute greep.

Hulpeloos bleef hij liggen, als een schildpad die op zijn rug was terechtgekomen.

Toen hij Dana hoorde brullen, sloot Roy zijn ogen en bereidde zich op het ergste voor. Dana viel zwaar boven op hem en klampte zijn vlezige vuisten om Roys keel.

Dat was het dan, dacht Roy. Die stomme eikel gaat me echt vermoorden. Hij voelde hete tranen over zijn wangen rollen.

Sorry, mam. Misschien kunnen papa en jij het nog eens proberen…

Plotseling vloog de deur van de bezemkast open en leek het gewicht op Roys borst te verdampen. Hij deed net zijn ogen open toen Dana Matherson van hem af werd getild, zwaaiend met zijn armen, een verbijsterde blik op zijn bolle gezicht.

Roy bleef op de vloer liggen; hij probeerde op adem te komen en uit te puzzelen wat er zojuist was gebeurd. Misschien had meneer Ryan hen horen vechten; die was beslist sterk genoeg om Dana als een baal hooi omhoog te tillen.

Ten slotte rolde Roy zich om en kwam overeind. Hij tastte naar het lichtknopje en wapende zich weer met de bezemsteel – je wist maar nooit. Toen hij zijn hoofd uit de kast stak, zag hij dat de gang verlaten was.

Hij liet de bezemsteel los en schoot naar de dichtstbijzijnde uitgang. Hij haalde het nog bijna ook.

TIEN

'Ik heb mijn bus gemist,' mopperde Roy.
'Nou en. Ik mis mijn voetbaltraining,' zei Beatrice.
'Hoe moet het nou met Dana?'
'Die overleeft het wel.'
Het was niet meneer Ryan die Roy van een pak slaag in de kast had gered; het was Beatrice Leep. Ze had Dana Matherson uitgekleed tot op zijn onderbroek en hem vastgebonden aan de vlaggenmast voor het administratiegebouw van Trace Middle School achtergelaten. Daar had Beatrice een fiets 'geleend' en Roy met geweld op het stuur gezet. Nu reed ze fanatiek trappend naar een onbekende bestemming.
Roy vroeg zich af of dit een kidnapping was, in de juridische zin van het woord. Er bestond waarschijnlijk wel een wet die verbood dat de ene leerling de andere van het schoolplein ontvoerde.
'Waar gaan we heen?' Hij verwachtte dat Beatrice niet op zijn vraag zou reageren. Dat was al twee keer eerder gebeurd.
Maar dit keer antwoordde ze: 'Naar jouw huis.'
'Wat?'
'Hou je mond nou maar, ja? Ik ben niet in de stemming, koeienkop.'
Hij kon aan de klank van haar stem horen dat ze uit haar doen was.
'Je moet iets voor me doen,' zei ze. 'Nu meteen.'
'Best. Je zegt het maar.'
Wat kon hij anders zeggen? Hij moest zich met twee handen vastklampen terwijl Beatrice over drukke kruispunten zigde en tussen

rijen auto's door zagde. Ze was een behendige fietser, maar toch was Roy zenuwachtig.

'Verband, pleister. Spul om infectie tegen te gaan,' zei Beatrice.

'Heeft je moeder dat soort dingen?'

'Natuurlijk.' Roys moeder had genoeg medische hulpmiddelen in huis om een mini-eerstehulpafdeling te beginnen.

'Mooi zo. Nou hebben we alleen nog een goed verhaal nodig.'

'Wat is er aan de hand? Waarom kun je niet gewoon thuis verband halen?'

'Dat gaat je niks aan.' Beatrice klemde haar kaken op elkaar en trapte harder. Roy kreeg het akelige gevoel dat er iets ergs gebeurd moest zijn met haar stiefbroer, de rennende jongen.

Mevrouw Eberhardt begroette hen bij de voordeur. 'Ik begon al ongerust te worden, liever. Was de bus zo laat? O – wie is dit?'

'Dit is Beatrice, mam. Ze heeft me een lift naar huis gegeven.'

'Leuk om met je kennis te maken, Beatrice!' Dat zei zijn moeder niet alleen uit beleefdheid. Ze was duidelijk dolblij dat Roy iemand van school mee naar huis had genomen, zelfs al was het een meisje dat er zo stoer uitzag.

'We gaan naar Beatrice thuis om wat huiswerk af te maken. Is dat goed?'

'Jullie mogen ook best hier blijven werken. Het is hier rustig –'

'Het is een experiment voor scheikunde,' kwam Beatrice ertussen. 'Het zou wel eens een flinke troep kunnen worden.'

Roy onderdrukte een glimlach. Beatrice had zijn moeder perfect ingeschat: bij mevrouw Eberhardt was alles altijd buitengewoon netjes. Er verschenen rimpels in haar voorhoofd bij de gedachte aan glazen bekers waarin sterke chemische stoffen pruttelden.

'Is het wel veilig?' vroeg ze.

'O, we hebben altijd rubberhandschoenen aan,' zei Beatrice geruststellend, 'en ook nog een veiligheidsbril op.'

Het was Roy wel duidelijk dat Beatrice ervaring had in het liegen tegen volwassenen. Mevrouw Eberhardt slikte het allemaal voor zoete koek.

Terwijl ze wat lekkers voor hen ging pakken, glipte Roy de keuken uit en vloog naar de badkamer van zijn ouders. De EHBO-voorraad lag in het kastje onder de wasbak. Hij haalde er een doos gaasjes uit, een rol witte pleister en een tube ontsmettende zalf die op barbecuesaus leek. Die spullen verborg hij in zijn rugzak.

Toen hij in de keuken terugkwam zaten Beatrice en zijn moeder aan tafel te praten, met een bord pindakaaskoekjes tussen hen in. Beatrice had haar wangen vol, wat Roy een goed teken leek. Aangetrokken door de lekkere warme geur stak hij zijn hand uit en graaide twee koekjes van de stapel.

'Kom, we gaan,' zei Beatrice, van haar stoel opspringend. 'We hebben een massa werk te doen.'

'Ik ben zover,' zei Roy.

'O, wacht – weet je wat we vergeten zijn?'

Hij had geen idee waar ze het over had. 'Nee. Wat dan?'

'Het gehakt.'

'Eh?'

'Je weet wel. Voor het experiment.'

'O ja.' Roy speelde het spelletje mee. 'Dat is waar ook.'

Meteen bemoeide zijn moeder zich ermee: 'Ik heb nog een kilo in de koelkast liggen, lieverd. Hoeveel hebben jullie nodig?'

Roy keek Beatrice aan, die onschuldig glimlachte. 'Een kilo moet meer dan genoeg zijn, mevrouw Eberhardt. Dank u wel.'

Roys moeder liep naar de koelkast en haalde het pakje vlees eruit. 'Wat voor scheikunde-experiment is het eigenlijk?' vroeg ze.

Voor Roy zijn mond open kon doen, zei Beatrice: 'Bederfelijkheid van cellen.'

Mevrouw Eberhardt trok haar neus op alsof ze al iets rottends rook. 'Gaan jullie maar gauw,' zei ze, 'nu dat gehakt nog vers is.'

Beatrice woonde bij haar vader, een voormalige basketballprofessional met versleten knieën, een bierbuik en weinig enthousiasme voor een vaste baan. Leon Leep – 'de Lange' – was een goed scorende point guard bij de Cleveland Cavaliers en later bij de Miami Heat geweest, maar twaalf jaar na zijn afscheid als professional was hij er nog steeds niet uit wat hij met de rest van zijn leven wilde doen.

Beatrices moeder was geen ongeduldige vrouw, maar ten slotte was ze toch van Leon gescheiden om zelf een carrière op te bouwen als kaketoetrainer in Parrot Jungle, een toeristische attractie in Miami. Beatrice had ervoor gekozen bij haar vader te blijven, deels omdat ze allergisch voor papegaaien was en deels omdat ze betwijfelde of Leon het wel zou redden in zijn eentje. Hij hing in feite alleen nog maar op de bank.

Maar nog geen twee jaar nadat mevrouw Leep bij hem was weggegaan, verraste Leon iedereen door zich te verloven met een vrouw die hij had leren kennen op een golftoernooi voor beroemdheden. Lonna was een van de serveersters in badpak die in elektrische karretjes rondreden over de golfbaan en de spelers bier en andere drankjes serveerden. Tot de dag waarop ze trouwden wist Beatrice niet eens wat Lonna's achternaam was. Dat was ook de dag waarop ze erachter kwam dat ze een stiefbroer zou krijgen.

Lonna arriveerde bij de kerk met een sombere jongen op sleeptouw, met magere schouders, zongebleekt haar en een bruinverbrande huid. Hij zag er hoogst ongelukkig uit in zijn jasje en stropdas, en hij bleef niet voor de receptie. Nauwelijks had Leon de trouwring om Lonna's vinger geschoven of de jongen schopte zijn glanzende zwarte schoenen uit en rende weg. Die scène zou nog vele malen terugkeren in de familiekroniek van de familie Leep.

Lonna kon niet met haar zoon overweg en zeurde hem voortdurend aan zijn hoofd. In Beatrices ogen leek Lonna bang te zijn dat het nukkige gedrag van de jongen haar nieuwe echtgenoot zou irriteren, hoewel Leon Leep het niet scheen op te merken. Af en toe deed hij een halfslachtige poging een band met de jongen te krijgen, maar die twee hadden weinig gemeen. De jongen was totaal niet geïnteresseerd in de dingen waar Leon warm voor liep – sport, junkfood en kabeltelevisie – en bracht al zijn vrije tijd door met zwerven door de bossen en moerassen. Wat Leon betreft, die had het niet zo op het buitenleven en koesterde achterdocht tegen elk beest dat geen halsband met penning om had.

Op een avond bracht Lonna's zoon een jong, ouderloos wasbeertje mee naar huis, dat prompt in een van Leons favoriete warme pantoffels kroop en daar zijn behoefte deed. Leon leek meer verbaasd dan boos, maar Lonna ging volledig door het lint. Zonder met haar man te overleggen regelde ze dat haar zoon werd afgevoerd naar een militaire voorbereidingsschool – de eerste van een aantal mislukte pogingen de jongen te 'normaliseren'.

Hij hield het zelden langer dan twee weken uit voor hij wegliep of van school werd gestuurd. De laatste keer dat dat gebeurde, vertelde Lonna het expres niet aan Leon. Ze bleef gewoon doen alsof alles goed ging met haar zoon, alsof hij goede cijfers haalde en zijn gedrag vooruitging.

In werkelijkheid wist Lonna niet waar de jongen gebleven was, en ze was ook niet van plan naar hem op zoek te gaan. Ze was 'dat kleine monster meer dan zat', dat hoorde Beatrice haar tenminste door de telefoon tegen iemand zeggen. Wat Leon Leep betreft, zijn belangstelling ging niet verder dan wat zijn vrouw hem over haar onhandelbare kroost had verteld. Hij merkte het niet eens toen er geen rekeningen voor schoolgeld meer van de militaire school kwamen.

Lang voor zijn moeder hem voor de laatste keer wegstuurde, hadden de jongen en zijn stiefzus een stilzwijgend verbond gesloten. Nadat Lonna's zoon weer naar Coconut Cove was teruggekeerd, was Beatrice de eerste en enige persoon met wie hij contact zocht. Ze beloofde niet te vertellen waar hij uithing, omdat ze wist dat Lonna de kinderbescherming zou bellen als ze er ooit achterkwam.

De angst dat het zover zou komen had Beatrice er ook toe gebracht Roy aan te spreken nadat ze hem die eerste dag achter haar stiefbroer aan had zien rennen. Ze deed wat elke grote zus gedaan zou hebben.

Tijdens de fietsrit liet Beatrice net zoveel stukjes en beetjes van hun familiegeschiedenis los dat Roy de moeilijke situatie begreep. En nadat hij de verwondingen van de jongen had gezien, snapte hij ook waarom Beatrice op hulp uit was gegaan nadat ze hem kreunend in Jo-Jo's oude ijswagen had aangetroffen.

Het was de eerste keer dat Roy de rennende jongen van dichtbij te zien kreeg en hem kon aankijken. Hij lag op de vloer, met een verkreukelde kartonnen doos als kussen. Zijn stroblonde haar plakte van het zweet en zijn voorhoofd voelde heet aan. Er lag een rusteloze blik in zijn ogen, als bij een schichtig dier, iets wat Roy wel vaker had gezien.

'Doet het erg pijn?' vroeg Roy.

'Nee hoor.'

'Leugenaar,' zei Beatrice.

De linkerarm van de jongen was paars en opgezwollen. Eerst dacht Roy dat het door een slangenbeet kwam, en hij keek ongerust om zich heen. Gelukkig was de zak met watermoccasins nergens te bekennen.

'Ik ging vanochtend op weg naar de bus even hier langs en toen vond ik hem zo,' vertelde Beatrice aan Roy. Toen, tegen haar broer: 'Vooruit. Vertel eens aan koeienkop wat er gebeurd is.'

'Hond kreeg me te pakken.' De jongen draaide zijn arm en wees op een aantal felrode gaten in de huid.

Het waren gemene beten, maar Roy had wel eens erger gezien. Hij was ooit met zijn vader naar een jaarmarkt geweest, waar een rodeoclown een knauw van een paniekerig paard had gekregen. De clown bloedde zo erg dat hij met spoed per helikopter naar het ziekenhuis was gebracht.

Roy ritste zijn rugzak open en haalde de verbandartikelen eruit. Hij wist wel iets over de behandeling van dit soort wonden door een EHBO-cursus die hij tijdens een zomerkamp in Bozeman had gevolgd. Beatrice had de arm van haar broer al schoongemaakt met sodawater. Daarom smeerde Roy ontsmettende zalf op een gaasje en bond dat stevig om de arm van de jongen.

'Je moet een tetanusprik hebben,' zei hij.

Harderhand schudde zijn hoofd. 'Het komt zo wel goed.'

'Loopt die hond hier nog rond?'

De jongen keek vragend naar Beatrice, die zei: 'Kom op, vertel het hem maar.'

'Zeker weten?'

'Ja, hij is oké.' Ze wierp een peilende blik op Roy. 'Bovendien staat hij bij me in het krijt. Hij is vandaag bijna geplet in een kast – niet-waar, koeienkop?'

Roys wangen werden rood. 'Dat doet er nou niet toe. Hoe zit het met die hond?'

'Eigenlijk waren het er vier,' zei Harderhand, 'achter een omhei-ning.'

'Hoe ben je dan gebeten?' vroeg Roy.

'Mijn arm bleef haken.'

'Wat was je aan het doen?'

'Niks bijzonders,' zei de jongen. 'Heb je dat gehakt, Beatrice?'

'Ja. Van Roys moeder gekregen.'

De jongen ging overeind zitten. 'Dan kunnen we beter gaan.'

'Nee, jij hebt rust nodig,' zei Roy.

'Straks. Kom op – ze zullen wel bijna honger krijgen.'

Roy keek Beatrice aan, die geen nadere verklaring gaf.

105

Ze volgden Harderhand het trapje van de ijswagen af en het autokerkhof uit. 'Ik zie jullie daar wel,' zei hij, en hij zette het op een
lopen. Roy kon zich niet voorstellen hoeveel kracht daarvoor
nodig moest zijn, als je aan zijn pijnlijke verwonding dacht.

Toen Harderhand wegrende zag Roy met enige voldoening dat hij
schoenen droeg – dezelfde gympies die Roy een paar dagen geleden voor hem had meegebracht.

Beatrice stapte op de fiets en wees op het stuur. 'Spring er maar
op.'

'Mooi niet,' zei Roy.

'Doe niet zo moeilijk.'

'Ik wil hier niks mee te maken hebben, hoor. Niet als hij die honden iets wil doen.'

'Waar heb je het over?'

'Daar wilde hij dat vlees toch voor?'

Roy dacht het door te hebben. Hij dacht dat de jongen wraak op
de honden wilde nemen door iets schadelijks, misschien zelfs iets
giftigs door het gehakt te doen.

Beatrice lachte en rolde met haar ogen. 'Zo gek is hij niet. Kom
nou maar mee.'

Een kwartier later merkte Roy dat ze op East Oriole Avenue waren,
bij dezelfde bouwkeet waar een paar dagen geleden die voorman
tegen hem had staan schreeuwen. Het was bijna vijf uur, en het
bouwterrein leek verlaten.

Hij zag dat er een omheining van gaas om het terrein was gezet.
Hij herinnerde zich dat die chagrijnige voorman had gedreigd valse waakhonden los te laten, en hij nam aan dat dat de honden
waren die Harderhand hadden gebeten.

Terwijl hij van de fiets sprong zei Roy tegen Beatrice: 'Heeft dit iets
te maken met die politieauto die met verf bespoten is?'

Beatrice zei niets.

'Of met die alligators in die mobiele wc's?'

Hij wist het antwoord al, maar haar uitdrukking zei genoeg: *bemoei je met je eigen zaken.*
Ondanks de koorts en de ernstige infectie had haar stiefbroer het bouwterrein voor het pannenkoekenhuis eerder bereikt dan zij.
'Geef hier,' zei hij, het pakje vlees uit Roys handen grissend.
Roy greep het terug. 'Niet voor je zegt waarvoor.'
De jongen keek Beatrice hulpzoekend aan, maar zij schudde haar hoofd. 'Doe nou maar,' zei ze. 'Schiet op, we hebben niet de hele dag de tijd.'
Harderhand klauterde aan de ene kant van de omheining omhoog en aan de andere kant weer omlaag, zijn gewonde arm slap naast zijn lichaam hangend. Beatrice volgde; moeiteloos zwaaide ze haar lange benen over de bovenrand.
'Waar wacht je nog op?' snauwde ze tegen Roy, nog steeds aan de andere kant.
'Maar die honden dan?'
'Die zijn allang weg,' zei Harderhand.
Hoewel Roy er steeds minder van snapte, klom hij over de omheining. Hij volgde Beatrice en haar stiefbroer naar een geparkeerde bulldozer. Ze gingen ineengedoken in de bak aan de voorkant zitten, veilig uit het zicht van de weg. Roy zat in het midden, met Beatrice aan zijn linkerkant en Harderhand rechts van hem.
Roy had het pakje vlees op zijn schoot, met allebei zijn armen eromheen, als een fullback die de bal beschermde.
'Heb jij die politieauto beschilderd?' vroeg hij zonder omwegen aan de jongen.
'Geen commentaar.'
'En die alligators in de wc's verstopt?'
Harderhand staarde recht voor zich uit, met toegeknepen ogen.
'Ik snap het niet,' zei Roy. 'Waarom haal je van die idiote dingen uit? Wat maakt het nou uit of ze hier een stom pannenkoekenhuis bouwen?'

De jongen draaide met een ruk zijn hoofd om en keek Roy met zo'n kille blik aan dat hij verstijfde.

Beatrice deed haar mond open. 'Mijn broer is door de honden gebeten toen hij zijn arm door de omheining stak. En vraag me nou maar eens waarom hij zijn arm naar binnen stak.'

'Oké. Waarom?' vroeg Roy.

'Hij liet slangen los.'

'Dezelfde slangen van op de golfbaan? De watermoccasins!' riep Roy uit. 'Maar waarom? Wou je iemand vermoorden?'

Harderhand glimlachte veelbetekenend. 'Ze konden nog geen vlieg kwaad doen, die slangen. Ik had hun bek dichtgeplakt met plakband.'

'En dat moet ik geloven,' zei Roy.

'En ik had glitters op hun staart geplakt,' ging de jongen verder, 'zodat ze makkelijk te zien zouden zijn.'

'Hij vertelt de waarheid, Eberhardt,' zei Beatrice.

Die glinsterende staarten had Roy zelf gezien, dus dat klopte. 'Ja maar hoor eens,' zei hij, 'hoe plak je nou de bek van een slang dicht?'

'Heel voorzichtig,' zei Beatrice met een droog lachje.

'Aah, dat is niet zo moeilijk,' ging Harderhand verder, 'als je weet wat je doet. Moet je horen, ik wou die honden niks doen – ik wou ze alleen maar een beetje opjutten.'

'Honden houden *niet* van slangen,' legde Beatrice uit.

'Dan draaien ze helemaal dol. Dan gaan ze blaffen en janken en in kringetjes rondrennen,' zei haar broer. 'Ik wist dat die trainer ze hier weg zou halen zodra hij die watermoccasins zag. Rottweilers zijn niet goedkoop.'

Het was het idiootste plan dat Roy ooit had gehoord.

'Het enige waar ik niet op had gerekend,' zei Harderhand met een blik op zijn verbonden arm, 'was dat ik gebeten zou worden.'

'Ik durf het haast niet te vragen,' zei Roy, 'maar wat is er met je slangen gebeurd?'

'O, die maken het best,' meldde de jongen. 'Ik ben teruggekomen en toen heb ik ze allemaal weer gevangen. Ik heb ze naar een veilige plek gebracht en weer vrijgelaten.'

'Maar eerst moest hij het plakband weer van hun bek af pulken,' zei Beatrice grinnikend.

'Hou op!' Roy had er nu echt genoeg van. 'Wacht nou eens even.' Harderhand en Beatrice keken hem onbewogen aan. Roys hoofd tolde van de vragen. Die twee waren echt niet van deze wereld.

'Wil een van jullie me alsjeblieft vertellen,' smeekte hij, 'wat dat allemaal met *pannenkoeken* te maken heeft? Misschien ben ik stom, maar ik snap het echt niet.'

De jongen trok een gezicht en wreef over zijn opgezette arm. 'Dat is simpel, man,' zei hij tegen Roy. 'Ze mogen hier geen Moeder Paula neerzetten om dezelfde reden dat ze hier geen grote valse ouwe rottweilers los mogen laten lopen.'

'Laat hem maar zien waarom,' zei Beatrice.

'Oké. Geef dat gehakt eens hier.'

Roy gaf hem het pakje vlees. Harderhand trok de plasticfolie eraf en pakte een handje rundergehakt. Hij rolde er zorgvuldig zes mooie ronde gehaktballetjes van.

'Kom mee,' zei hij. 'Maar probeer wel stil te doen.'

Hij ging Roy voor naar een gat in een stukje gras. Bij de ingang van het gat legde hij twee gehaktballetjes neer.

Daarna liep hij naar een gat dat er net zo uitzag aan de andere kant van het terrein en liet daar ook twee gehaktballetjes achter. Hetzelfde ritueel vond plaats bij nog een gat in de verste hoek van het terrein.

Terwijl hij in een van de donkere tunnels tuurde, vroeg Roy: 'Wat zit daar beneden?'

In Montana waren de enige dieren die dat soort holen groeven wangzakratten en dassen, en Roy wist zeker dat die in Florida niet veel voorkwamen.

'Sst,' zei de jongen.

Roy liep achter hem aan naar de bulldozer terug, waar Beatrice nog steeds in de bak zat en haar brillenglazen poetste.

'En?' vroeg ze aan Roy.

'Wat, en?'

Harderhand tikte hem op zijn arm. 'Moet je luisteren.'

Roy hoorde een kort, hoog *koe-koeoe*. En toen nog eens, van de andere kant van het open terrein. Beatrices stiefbroer kwam geluidloos overeind, trok zijn nieuwe gympies uit en sloop naar voren. Roy volgde hem op de hielen.

De jongen grinnikte dwars door zijn koorts heen toen hij een teken gaf dat ze moesten blijven staan. 'Kijk!'

Hij wees naar het eerste hol.

'Wauw,' zei Roy binnensmonds.

Daar, bij het hol, nieuwsgierig naar een van de gehaktballetjes turend, stond het kleinste uiltje dat hij ooit had gezien.

Harderhand stompte hem zachtjes tegen zijn schouder. 'Oké – snap je het *nou*?'

'Ja,' zei Roy. 'Ik snap het.'

ELF

Agent David Delinko had er een gewoonte van gemaakt 's ochtends op weg naar het politiebureau langs het bouwterrein te rijden, en ook 's middags als hij naar huis ging. Soms reed hij er zelfs 's avonds laat weer even langs als hij nog iets te eten ging kopen; het kwam mooi uit dat er daar in de buurt een avondwinkel was.

Tot nog toe had de agent niet veel bijzonders gezien, afgezien van het schouwspel eerder op die dag: een man met wilde ogen die met een rode paraplu zwaaide en een stel gigantische zwarte honden het terrein rond joeg. De voorman van het bouwproject had gezegd dat het een trainingsoefening voor de honden was, niets om van te schrikken. Agent Delinko had geen reden om daaraan te twijfelen.

Ook al hoopte hij zelf de vandalen in de kraag te grijpen, toch vond de politieman het een uitstekend idee van het pannenkoekenbedrijf een omheining neer te zetten en een paar waakhonden achter te laten – dat zou eventuele indringers toch moeten afschrikken.

Die middag, na weer acht saaie uren bureauwerk, besloot de agent nog maar eens langs het terrein van Moeder Paula te rijden. Het zou nog twee uur licht blijven en hij wilde die waakhonden graag in actie zien.

Hij arriveerde er in de verwachting oorverdovend geblaf te horen, maar het was vreemd stil op het terrein; geen spoor van de honden. Terwijl hij aan de buitenzijde langs de omheining wandelde, klapte de agent in zijn handen en schreeuwde, voor het geval dat de honden onder Curly's bouwkeet verborgen lagen of in de scha-duw van de graafwerktuigen lagen te dutten.

'Boe!' schreeuwde agent Delinko. 'Hé, Fikkie!'

Niets.

Hij raapte een stuk hout op en sloeg ermee tegen een metalen hek-paal. Weer niets.

Agent Delinko liep terug naar het toegangshek en controleerde het slot, dat goed dicht zat.

Hij probeerde het met fluiten, en dit keer kreeg hij een onver-wachte reactie: *Koe-koeoe, koe-koeoe.*

Beslist geen rottweiler.

De agent zag iets binnen de omheining bewegen en hij deed zijn best om te zien wat het was. Eerst dacht hij dat het een konijn was, vanwege de zandbruine kleur, maar toen steeg het plotseling op van de grond en vloog van de ene hoek van het terrein naar de andere, om ten slotte neer te strijken op de motorkap van een bull-dozer.

Agent Delinko glimlachte – het was een van die koppige holen-uiltjes waar Curly over geklaagd had.

Maar waar zaten de waakhonden?

De agent ging een stap achteruit en krabde aan zijn kin. Morgen zou hij eens bij de keet langsgaan en de voorman vragen wat er aan de hand was.

Toen er een vlaagje warme wind langskwam, zag agent Delinko iets aan de bovenkant van de omheining wapperen. Het leek wel zo'n lint van een van de piketpaaltjes, maar dat was het niet. Het was een rafelige strook groene stof.

De agent vroeg zich af of er soms iemand met zijn shirt aan het gaas was blijven hangen terwijl hij over de omheining klom.

Hij ging op zijn tenen staan om het afgescheurde stuk stof te pak-ken en stopte het zorgvuldig in een van zijn zakken. Toen stapte hij in zijn patrouillewagen en reed verder over East Oriole.

'Sneller!' riep Beatrice Leep.

'Gaat niet,' zei Roy hijgend, terwijl hij achter haar aan rende.

Beatrice reed op de fiets die ze op Trace Middle uit het rek had gepakt. Harderhand hing over het stuur, nauwelijks bij bewustzijn. Hij was duizelig geworden en van het hek gevallen toen ze haastig het bouwterrein verlieten.

Roy kon zien dat de jongen steeds zieker werd door de geïnfecteerde hondenbeten. Hij moest meteen naar een dokter.

'Dat wil hij niet,' had Beatrice verklaard.

'Dan moeten we het aan zijn moeder vertellen.'

'Dat nooit!' En ze was weggereden.

Nu deed Roy zijn best haar niet uit het oog te verliezen. Hij wist niet waar Beatrice met haar broer heen ging en hij had het gevoel dat ze dat zelf ook niet wist.

'Hoe gaat het met hem?' riep Roy.

'Niet best.'

Roy hoorde een auto en keek om. Achter hen, nog geen twee blokken van hen vandaan, naderde een politiewagen. Automatisch bleef Roy staan en begon met zijn armen te zwaaien. Het enige waaraan hij kon denken was hoe ze Harderhand zo snel mogelijk in het ziekenhuis konden krijgen.

'Wat doe jij nou?' schreeuwde Beatrice hem toe.

Roy hoorde gekletter toen de fiets het wegdek raakte. Toen hij zich omdraaide zag hij Beatrice wegstuiven, met haar stiefbroer als een zak meel over haar schouder. Zonder omkijken rende ze tussen twee huizen aan het eind van het blok door en verdween.

Roy stond midden op straat aan de grond genageld. Hij moest een belangrijk besluit nemen, en vlug ook. Van de ene kant kwam de politieauto; in de andere richting renden zijn twee vrienden…

Nou ja, de enigen hier in Coconut Cove die hij misschien vrienden zou kunnen noemen.

Roy haalde diep adem en vloog hen achterna. Hij hoorde toeteren, maar hij liep door, in de hoop dat de agent niet uit de auto zou springen om te voet achter hem aan te komen. Roy dacht niet dat hij iets verkeerds had gedaan, maar hij vroeg zich af of hij in moeilijkheden kon komen omdat hij Harderhand had geholpen, een vluchteling uit het onderwijssysteem.

Dat joch probeerde alleen maar voor een paar uiltjes te zorgen – hoe kon dat nu een misdaad zijn?

Vijf minuten later vond hij Beatrice in de achtertuin van een vreemde, waar ze onder een bladerrijke mahonieboom zat uit te blazen. Haar stiefbroer lag met zijn hoofd op haar schoot. Hij had zijn ogen halfdicht en zijn voorhoofd glinsterde.

De diepe bijtwonden in zijn arm lagen bloot, want het verband was eraf getrokken (tegelijk met een mouw van zijn groene T-shirt) toen hij van het hek was getuimeld.

Beatrice streelde zijn wangen en keek droevig naar Roy op. 'Wat moeten we nou, koeienkop?'

Curly had zijn buik vol van die waakhonden. En hoewel hij er beslist niet naar uitkeek de nacht in zijn bouwkeet door te brengen, was dat de enige betrouwbare manier om te voorkomen dat de delinquenten – of wie het ook waren die het bouwterrein saboteerden – over de omheining sprongen en hun gang gingen.

Als er in de loop van het weekend iets zou gebeuren waardoor het Moeder Paula-project opnieuw vertraging opliep, zou Curly als voorman ontslagen worden. Daar had Chuck Muckle geen enkele twijfel over laten bestaan.

Toen Curly zijn vrouw over zijn nachtdienst als bewaker vertelde, hoorde ze dat nieuws zonder een spoor van ergernis of bezorgdheid aan. Haar moeder logeerde bij hen en ze hadden voor die zaterdag en zondag een heel stel winkelbezoekjes op het programma staan. Curly's charmante aanwezigheid zou niet gemist worden.

Chagrijnig stopte hij zijn tandenborstel, floss, scheermes, scheer-crème en een gezinsfles aspirine in een toilettas. Hij vouwde wat schone werkkleding en ondergoed op en deed dat in een plastic tas-je, en greep het hoofdkussen van zijn kant van het bed. Toen hij de deur uitliep gaf zijn vrouw hem nog twee dikke boterhammen met tonijn mee, eentje voor het avondeten en eentje voor het ontbijt.

'En doe voorzichtig daarginds, Leroy,' zei ze.

'Ja hoor.'

Toen hij bij het bouwterrein terug was deed Curly het hek achter zich op slot en liep met omzichtig hoog geheven voeten naar zijn veilige keet. De hele middag had hij over die ongrijpbare water-moccasins zitten piekeren, en zich afgevraagd waarom de reptie-lenvanger ze niet had kunnen vinden.

Hoe konden zoveel slangen allemaal tegelijk verdwijnen?

Curly was bang dat de watermoccasins zich nog ergens vlakbij in een onzichtbaar hol onder de grond schuilhielden en wachtten tot het donker werd voor ze naar buiten gleden om hun dodelijke jacht te beginnen.

'Ik sta klaar voor ze,' zei hij hardop, in de hoop zichzelf te over-tuigen.

Hij deed de deur van de keet op slot, ging voor de draagbare tv zit-ten en zette de sportzender op. De Devil Rays speelden later die avond tegen de Orioles en Curly verheugde zich al op de wedstrijd. Tot het zover was amuseerde hij zich met een voetbalwedstrijd die aan de gang was in Quito, Ecuador – waar *dat* ook mocht liggen. Hij leunde achterover en deed zijn riem wat losser. Zo was er meer plaats voor de bobbel in zijn tailleband van de .38-kaliber-revol-ver die hij had meegebracht om zich te beschermen. Hij had wel niet echt meer geschoten sinds hij bij de marine zat, eenendertig jaar geleden, maar hij had nog altijd een pistool thuis verborgen liggen en had er alle vertrouwen in dat hij daar nog steeds mee overweg kon.

En hoe moeilijk kon het nu zijn om een dikke vette slang te raken? Hij was net bezig zijn eerste boterham met tonijn weg te werken toen er reclame voor Moeder Paula's Oud-Amerikaanse Pannenkoekenhuis op de tv kwam. Daar had je, verkleed als die lieve oude Moeder Paula in eigen persoon, niemand minder dan Kimberly Lou Dixon, de voormalige bijna-Miss Amerika. Ze stond wafels te keren op een hete bakplaat terwijl ze een of ander stom liedje zong. Hoewel de make-upartiesten verdraaid goed werk hadden geleverd, kon Curly toch zien dat de oude dame in het reclamefilmpje in werkelijkheid een veel jongere vrouw was, en dat ze knap was. Hij moest denken aan wat Chuck Muckle hem had verteld over Kimberly Lou Dixons contract voor een nieuwe film en hij probeerde zich haar voor te stellen als de Koningin van de Sprinkhaanmutanten. De afdeling special effects zou haar ongetwijfeld zes groene poten en een stel voelsprieten geven, wat Curly wel een intrigerend idee vond.

Hij vroeg zich af of hij persoonlijk aan haar zou worden voorgesteld als ze naar Coconut Cove kwam om het officiële begin van de bouw van het nieuwe pannenkoekenhuis bij te wonen. Dat was niet eens zo onwaarschijnlijk, omdat hij technisch opzichter van het project was – de hoogste man in functie.

Curly had nog nooit een filmster of een tv-actrice of een Miss Amerika of een Miss Wat-dan-ook ontmoet. Zou ik een handtekening kunnen vragen? vroeg hij zich af. Zou ze met hem op de foto willen? En zou ze tegen hem praten met dat nepstemmetje van Moeder Paula, of gewoon als Kimberly Lou Dixon?

Dat waren de vragen die door Curly's hoofd tolden toen het beeld op het tv-scherm voor zijn ongelovige ogen oploste in elektrische sneeuw. Driftig sloeg hij tegen de zijkant van het toestel met een vuist vol mayonaise, zonder resultaat.

De kabel was uitgevallen, midden onder de reclame voor Moeder Paula. Geen goed voorteken, dacht Curly zuur.

Hij gebruikte heel wat lelijke woorden om zijn pech te vervloeken. Het was jaren geleden dat hij een hele avond had moeten doorkomen zonder tv en hij wist niet hoe hij zich anders moest vermaken. Er was geen radio in de keet en de enige lectuur bestond uit een tijdschrift voor de bouw, met saaie artikelen over orkaanbestendige dakbedekking en antitermietenbehandelingen voor multiplex.

Hij overwoog even snel naar de avondwinkel te gaan om een paar video's te huren, maar dan moest hij het terrein over lopen om bij zijn truck te komen. Nu het donker begon te worden wist hij niet genoeg moed meer te verzamelen om zich buiten te wagen – niet zolang die dodelijke watermoccasins daar rondkropen.

Hij propte het kussen onder zijn hoofd en kiepte zijn stoel achterover, zodat hij tegen de dunne betimmerde wand leunde. Alleen in de stilte vroeg hij zich af of een slang het voor elkaar zou krijgen de keet binnen te kruipen. Er schoot hem een verhaal te binnen dat hij ooit had gehoord, over een boa constrictor die door de afvoerbuizen was gekropen en in een flat in New York City uit het afvoerputje van het bad te voorschijn was gekomen.

Toen hij dat tafereel in gedachten voor zich zag voelde Curly dat zijn maag in de knoop ging zitten. Hij stond op en sloop voorzichtig naar de ingang van het kleine toilet in de bouwkeet. Hij hield zijn ene oor tegen de deur en luisterde…

Was het verbeelding of hoorde hij echt iets ritselen aan de andere kant? Hij trok zijn revolver uit zijn riem en spande de haan.

Ja, nu wist hij het zeker. Er bewoog iets!

Op hetzelfde moment dat Curly de deur openschopte besefte hij dat er geen giftige slang in het toilet was, geen reden voor groot alarm. Jammer genoeg werd die boodschap niet snel genoeg doorgegeven van zijn hersenen naar de vinger die hij aan de trekker had. Curly schrok bijna net zo erg van de knal van het wapen als de veldmuis die op de tegelvloer zat en zich alleen maar met zijn eigen zaken bemoeide. Toen de kogel over zijn kleine besnorde

kopje zoefde en de wc-bril versplinterde, ging de muis ervandoor
– een piepende grijze schim die tussen Curly's voeten door de deur
uitvloog.

Met trillende hand liet Curly het pistool zakken en neerslachtig
staarde hij naar wat hij had gedaan. Hij had per ongeluk op de wc
geschoten.

Het zou nog een lang weekend worden.

Meneer Eberhardt zat in de studeerkamer aan zijn bureau te lezen
toen mevrouw Eberhardt met een bezorgd gezicht in de deuropening verscheen.

'Die agent is er,' zei ze.

'Welke agent?'

'Die ene die Roy laatst heeft thuisgebracht. Je kunt beter even met
hem komen praten.'

Agent Delinko stond in de woonkamer, met zijn pet in zijn handen. 'Prettig u weer te zien,' zei hij tegen Roys vader.

'Is er iets aan de hand?'

'Het gaat over Roy,' kwam mevrouw Eberhardt ertussen.

'Misschien,' zei agent Delinko. 'Ik weet het niet zeker.'

'Laten we erbij gaan zitten,' stelde meneer Eberhardt voor. Hij was
erop getraind kalm te blijven terwijl hij losse flarden informatie
verwerkte. 'Vertel maar wat er gebeurd is,' zei hij.

'Waar is Roy? Is hij thuis?' vroeg de politieman.

'Nee, hij is bij een vriendinnetje thuis om aan een scheikundeproject te werken,' zei mevrouw Eberhardt.

'De reden dat ik dat vraag,' zei agent Delinko, 'is dat ik daarstraks
een paar kinderen zag op East Oriole. Een van hen leek een beetje op uw zoon. Het rare was: eerst zwaaide hij naar de politieauto
en toen ging hij er opeens vandoor.'

Meneer Eberhardt fronste zijn wenkbrauwen. 'Hij ging ervandoor?
Dat klinkt niet als Roy.'

'Nee, zeker niet,' zei mevrouw Eberhardt instemmend. 'Waarom zou hij dat doen?'

'Die kinderen lieten een fiets achter op straat.'

'Nou, die is niet van Roy. Zijn fiets heeft een lekke band,' verkondigde Roys moeder.

'Ja, dat weet ik nog,' zei de agent.

'We hebben een nieuwe band moeten bestellen,' voegde meneer Eberhardt eraan toe.

Agent Delinko knikte geduldig. 'Ik weet dat die fiets niet van Roy was. Deze was eerder op de middag gestolen bij Trace Middle School, kort nadat de school uitging.'

'Weet u dat zeker?' vroeg meneer Eberhardt.

'Ja, meneer. Daar kwam ik achter toen ik het serienummer meldde aan het bureau.'

Het werd stil in de kamer. Roys moeder keek ernstig naar Roys vader en richtte haar blik toen op de politieman.

'Mijn zoon is geen dief,' zei ze resoluut.

'Ik beschuldig niemand,' zei agent Delinko. 'De jongen die ervandoor ging leek op Roy, maar ik kan het niet met zekerheid zeggen. Ik kom het alleen maar even bij u navragen omdat u zijn ouders bent en omdat dat, eh, nu eenmaal bij mijn werk hoort.' Hij wendde zich tot Roys vader om steun. 'U zit zelf bij justitie, meneer Eberhardt, dus u begrijpt het vast wel.'

'Jazeker,' mompelde Roys vader afwezig. 'Hoeveel kinderen zag u daar op straat?'

'Minstens twee, mogelijk drie.'

'En ze gingen er allemaal vandoor?'

'Ja, meneer.' Agent Delinko deed zijn best zich zo professioneel mogelijk te gedragen. Misschien zou hij ooit nog eens bij de FBI solliciteren en dan kon meneer Eberhardt een goed woordje voor hem doen.

'En hoeveel fietsen?' vroeg meneer Eberhardt.

'Eentje maar. Hij ligt in de auto, als u hem soms wilt zien.'

Roys ouders volgden de agent naar de oprit, waar hij de kofferbak van de Crown Victoria opende.

'Ziet u?' Hij wees naar de gestolen fiets. Het was een blauwe ATB.

'Ik herken hem niet,' zei meneer Eberhardt. 'En jij, Lizzy?'

Roys moeder slikte moeilijk. Het leek wel dezelfde fiets waarop Roys nieuwe vriendinnetje Beatrice had gereden toen ze na school met hem mee was gekomen.

Voor mevrouw Eberhardt haar gedachten op een rijtje kon krijgen, zei agent Delinko: 'O, dat vergeet ik bijna. Zegt dit u iets?' Hij voelde in zijn zak en haalde er iets uit wat een afgescheurde mouw van een shirt leek.

'Hebt u dat bij de fiets gevonden?' vroeg meneer Eberhardt.

'Daar in de buurt.' De agent draaide er een beetje omheen. Eigenlijk lag het bouwterrein een paar blokken van de plaats waar hij de kinderen had gezien.

'Komt dit u bekend voor?' vroeg hij de Eberhardts terwijl hij de rafelige strook omhooghield.

'Mij niet,' antwoordde Roys vader. 'Lizzy?'

Mevrouw Eberhardt leek opgelucht. 'Nee, dat is beslist niet van Roy,' vertelde ze de agent. 'Hij heeft helemaal geen groene kleren.'

'Wat voor kleur shirt had de jongen die ervandoor ging?' vroeg meneer Eberhardt.

'Dat kon ik niet zien,' bekende de agent. 'Hij was te ver weg.'

Ze hoorden de telefoon gaan en Roys moeder ging gauw naar binnen om op te nemen.

Agent Delinko leunde wat dichter naar Roys vader toe en zei: 'Het spijt me dat ik u beiden hiermee lastig moet vallen.'

'Zoals u al zei, dat hoort bij uw werk.' Meneer Eberhardt bleef beleefd, hoewel hij wist dat de agent hem niet alles over die groene stof vertelde.

'Over werk gesproken,' zei de agent, 'weet u nog die avond laatst, toen ik Roy thuisbracht met zijn lekke band?'

'Natuurlijk.'

'Toen het zulk afschuwelijk weer was.'

'Ja, dat weet ik nog,' zei meneer Eberhardt ongeduldig.

'Heeft hij het er soms nog over gehad dat u een brief voor me zou schrijven?'

'Wat voor brief?'

'Aan de commissaris. Niks bijzonders – alleen een briefje voor in mijn personeelsdossier, dat u het op prijs stelde dat ik uw zoon geholpen had. Iets van die strekking.'

'En dat "briefje" moest ik aan de commissaris sturen?'

'Of aan de commandant. Aan mijn brigadier zou ook goed zijn. Heeft Roy niks gevraagd?'

'Niet dat ik me herinner,' zei meneer Eberhardt.

'Ach ja, u weet hoe kinderen zijn. Hij zal het wel vergeten zijn.'

'Wat is de naam van uw brigadier? Ik zal zien wat ik kan doen.' Roys vader deed geen moeite zijn gebrek aan enthousiasme te verbergen. Hij begon genoeg te krijgen van de opdringerige jonge agent.

'Ontzettend bedankt,' zei agent Delinko. Hij schudde meneer Eberhardt uitvoerig de hand. 'Alle beetjes helpen als je vooruit probeert te komen. En iets als dit, afkomstig van een federaal agent zoals u –'

Maar hij kreeg geen kans meneer Eberhardt te vertellen hoe zijn brigadier heette, want op dat moment kwam mevrouw Eberhardt de voordeur uit stormen met haar handtas in de ene hand en een rinkelend setje autosleutels in de andere.

'Lizzy! Wat is er aan de hand?' riep meneer Eberhardt uit. 'Wie was dat aan de telefoon?'

'De eerstehulpafdeling,' riep ze ademloos. 'Roy is gewond!'

TWAALF

Roy was bekaf. Het leek wel honderd jaar geleden dat Dana Matherson hem in de bezemkast had proberen te wurgen, maar toch was het diezelfde middag gebeurd.

'Bedankt. Nu staan we quitte,' zei Beatrice Leep.

'Misschien,' zei Roy.

Ze zaten te wachten op de eerstehulpafdeling van Coconut Cove Medisch Centrum, dat eerder een grote artsenpraktijk leek dan een ziekenhuis. Daar hadden ze Beatrices broer heen gebracht nadat ze hem bijna anderhalve kilometer rechtop hadden meegedragen, ieder met een arm onder een van zijn schouders.

'Het komt wel goed met hem,' zei Roy.

Even dacht hij dat Beatrice zou gaan huilen. Hij stak zijn hand uit en kneep in de hare, die aanmerkelijk groter was dan die van hem. 'Hij is zo taai als een kakkerlak,' zei Beatrice met een snik. 'Hij redt het wel.'

Een vrouw in lichtblauwe dokterskleding met een stethoscoop om de hals kwam naar hen toe. Ze stelde zich voor als dokter Gonzalez.

'Vertel eens precies wat er met Roy gebeurd is,' zei ze.

Beatrice en de echte Roy wisselden een bezorgde blik. Harderhand had hun verboden zijn naam aan het ziekenhuis te geven, uit angst dat zijn moeder op de hoogte zou worden gebracht. De jongen wond zich zo op dat Roy er niet tegenin was gegaan. Toen de receptionist van de eerste hulp Beatrice om naam, adres en telefoonnummer van haar broer had gevraagd, was Roy in een opwelling naar voren gestapt en had die van hemzelf eruitgeflapt. Het had de vlugste manier geleken om Harderhand in een ziekenhuisbed te krijgen.`

Roy wist dat hij daarmee ook zichzelf ellende op de hals haalde. Beatrice Leep wist het ook. Daarom had ze hem bedankt.

'Mijn broer is door een hond gebeten,' zei ze tegen dokter Gonzalez.

'Hond*en*,' voegde Roy eraan toe.

'Wat voor honden?' vroeg de dokter.

'Heel grote.'

'Hoe is dat gebeurd?'

Hier liet Roy het verhaal verder aan Beatrice over; zij was er nu eenmaal beter in volwassenen iets op de mouw te spelden.

'Ze kregen hem te pakken tijdens de voetbaltraining,' zei ze. 'Hij kwam onder de beten naar huis rennen en daarom hebben we hem hier gebracht zo snel we konden.'

'Hmm,' zei dokter Gonzalez met een lichte frons.

'Wat – gelooft u me niet?' Beatrices verontwaardiging klonk oprecht. Roy was onder de indruk.

Maar de dokter was ook niet mis. 'O, ik geloof wel dat je broer door honden is aangevallen,' zei ze. 'Ik geloof alleen niet dat het vandaag is gebeurd.'

Beatrice verstijfde. Roy wist dat hij iets moest bedenken, en vlug ook.

'Die wonden in zijn arm zijn niet recent,' legde dokter Gonzalez uit. 'Als ik kijk hoe ver de infectie al is, zou ik zeggen dat hij achttien tot vierentwintig uur geleden gebeten is.'

Beatrice leek uit het veld geslagen. Roy wachtte niet tot ze zich herstelde.

'Ja, achttien uur. Dat kan wel kloppen,' zei hij tegen de dokter.

'Dat begrijp ik niet.'

'Kijk, hij viel flauw nadat hij gebeten was,' zei Roy. 'En hij kwam pas de volgende dag weer bij, en toen kwam hij dus naar huis rennen. Beatrice belde mij op en vroeg of ik wilde helpen hem naar het ziekenhuis te krijgen.'

Dokter Gonzalez keek Roy met een strenge blik aan, al klonk er een vleugje vrolijkheid in haar stem.

'Hoe heet jij, jongen?'

Roy hapte naar adem. Ze overviel hem.

'Tex,' antwoordde hij zwakjes.

Beatrice gaf hem een por met haar elleboog alsof ze wilde zeggen: kun je niks beters verzinnen?

De dokter kruiste haar armen. 'Oké, *Tex,* laten we het even op een rijtje zetten. Je vriend Roy wordt op het voetbalveld toegetakeld door een stel grote honden. Niemand doet iets om hem te helpen en hij blijft de hele nacht en een groot deel van de volgende dag bewusteloos. Dan wordt hij opeens wakker en rent naar huis. Klopt dat?'

'Ja.' Roy boog zijn hoofd. Hij was een beroerde leugenaar en dat wist hij.

Dokter Gonzalez richtte haar volle aandacht op Beatrice. 'Waarom kwam het op jou neer je broer hier te brengen? Waar zijn je ouders?'

'Naar hun werk,' antwoordde Beatrice.

'Heb je hen niet gebeld om te vertellen dat je broer meteen naar een dokter moest?'

'Ze werken op een krabbenboot. Zonder telefoon.'

Niet slecht, dacht Roy. Maar de dokter trapte er niet in.

'Het is moeilijk te begrijpen,' zei ze tegen Beatrice, 'hoe je broer zo lang vermist kon worden zonder dat iemand in de familie zich ongerust genoeg maakte om de politie te bellen.'

'Soms loopt hij van huis weg,' zei Beatrice zacht, 'en dan duurt het een poosje voor hij terugkomt.'

Dat antwoord kwam dichter bij de waarheid dan alles wat ze verder verteld had, en vreemd genoeg was het ook het antwoord dat maakte dat dokter Gonzalez niet verder vroeg.

'Ik ga nu even bij Roy kijken,' zei ze tegen hen. 'Intussen doen jullie beiden er misschien verstandig aan jullie verhaal wat op te poetsen.'

'Hoe is het met hem?' vroeg Beatrice.

'Beter. Hij heeft een tetanusinjectie gekregen en nu stoppen we hem vol antibiotica en pijnstillers. Dat is sterk spul, dus hij is nogal slaperig.'

'Mogen we hem zien?'

'Nu nog niet.'

Zodra de dokter weg was, liepen Roy en Beatrice haastig naar buiten, waar ze veiliger konden praten. Roy ging op de stoep voor de eerste hulp zitten, Beatrice bleef staan.

'Dit wordt niks, koeienkop. Zodra ze doorkrijgen dat hij jou niet is...'

'Dat wordt een probleem,' bevestigde Roy – het understatement van het jaar.

'En als Lonna het te horen krijgt, wordt hij opgesloten, dat weet je,' zei Beatrice somber, 'tot ze een nieuwe militaire school vindt. Ergens heel ver weg waarschijnlijk, in Guam of zo, waar hij niet kan weglopen.'

Roy snapte niet hoe een moeder haar eigen kind haar leven uit kon schoppen, maar hij wist wel dat zulke dingen gebeurden. Hij had wel eens van vaders gehoord die hetzelfde deden. Het was een deprimerend idee.

'We bedenken wel iets,' beloofde hij Beatrice.

'Zal ik je eens wat zeggen, Tex? Jij bent best oké.' Ze kneep in zijn wang en sprong van de stoep.

'Hé, waar ga je heen?' riep hij haar na.

'Eten koken voor mijn vader. Dat doe ik elke avond.'

'Dat is toch hopelijk een geintje, hè? Je laat me hier toch niet alleen?'

'Sorry,' zei Beatrice. 'Pa gaat door het lint als ik niet kom opdagen. Hij kan nog geen brood roosteren zonder zijn vingers te branden.'

'Kan Lonna voor deze ene keer niet voor hem koken?'

'Nee. Die staat achter de bar in de Elk's Lodge.' Ze stak even haar hand op. 'Ik kom terug zo gauw ik kan. Pas op dat ze mijn broer niet gaan opereren of zo.'

'Wacht!' Roy sprong overeind. 'Vertel even hoe hij echt heet. Dat is toch wel het minste, na alles wat er gebeurd is.'

'Sorry, koeienkop, maar dat kan ik niet doen. Dat heb ik al heel lang geleden plechtig gezworen.'

'Alsjeblieft?'

'Als hij wil dat je het weet,' zei Beatrice, 'dan vertelt hij het je zelf wel.' Toen rende ze weg; haar voetstappen stierven weg in het donker.

Roy slenterde naar de eerstehulpafdeling terug. Omdat hij wist dat zijn moeder wel ongerust zou worden, vroeg hij de receptionist of hij de telefoon mocht gebruiken. Die ging zes keer over voor het antwoordapparaat van de familie Eberhardt het overnam. Roy liet een bericht achter dat hij naar huis zou komen zodra Beatrice en hij de rommel van het scheikundeproject hadden opgeruimd.

Alleen in de wachtkamer zocht hij in een stapel tijdschriften tot hij een nummer van *Buitenleven* vond met een artikel over het vissen op roodkeelforel in de Rocky Mountains. Het mooiste ervan waren de foto's – hengelaars die kniediep in blauwe rivieren stonden, met hoge populieren langs de oever, terwijl op de achtergrond rijen besneeuwde bergtoppen te zien waren.

Roy had alweer hevig heimwee naar Montana toen hij in de verte een sirene hoorde naderen. Het leek hem een uitstekend moment om op zoek te gaan naar een cola-automaat, ook al had hij maar twee dubbeltjes op zak.

Het punt was dat hij niet op de eerste hulp wilde zijn om te zien wat die sirene te betekenen had. Hij had er geen enkele behoefte aan te zien hoe ze iemand binnenreden die gewond was geraakt bij een ernstige aanrijding, iemand die misschien wel stervende was. Anderen mochten dan vreselijk nieuwsgierig zijn naar zulk bloederig gedoe, Roy niet. Toen hij zeven was en nog met zijn ouders in de buurt van Milwaukee woonde, was er een keer een dronken jager met zijn sneeuwscooter in volle vaart tegen een oude berk gereden. Het ongeluk gebeurde nog geen honderd meter van een helling waar Roy met zijn vader aan het sleeën was.

Meneer Eberhardt was de heuvel opgerend om te zien of hij kon helpen, met Roy hijgend op zijn hielen. Toen ze bij de boom kwamen beseften ze dat ze niets konden doen. De dode man baadde in het bloed; zijn lichaam was verwrongen in vreemde bochten, als een kapotte G. I. Joe-pop. Roy wist dat hij dat beeld nooit zou vergeten en hij wilde zoiets nooit meer zien.

Daarom was hij beslist niet van plan op de eerstehulpafdeling te blijven rondhangen wanneer er een nieuw spoedgeval arriveerde. Hij glipte door een zijdeur en zwierf een kwartier of wat door het ziekenhuis tot een zuster hem tegenhield.

'Ik ben verdwaald, geloof ik,' zei Roy. Hij deed zijn best een verwarde indruk te maken.

'Dat kun je wel zeggen.'

Ze stuurde hem een achtergang door naar de eerste hulp, waar Roy tot zijn opluchting geen chaos of bloedbad aantrof. Het was er nog net zo stil als toen hij er wegging.

Verbaasd liep hij naar het raam en keek naar buiten. Er stond geen ambulance bij de ingang, alleen een patrouillewagen van de politie van Coconut Cove. Misschien was het niets, dacht hij, en hij pakte zijn tijdschrift weer op.

Even later hoorde hij stemmen vanachter de dubbele deuren die naar de ruimte leidden waar Harderhand behandeld werd. Er vond een luide discussie plaats op de patiëntenafdeling en Roy spitste zijn oren om te verstaan wat er gezegd werd.

Eén stem in het bijzonder kwam boven de andere uit en Roy

schrok toen hij die herkende. Nerveus en terneergeslagen zat hij daar, zonder goed te weten wat hij nu moest doen. Toen hoorde hij een andere vertrouwde stem en wist hij dat er maar één ding opzat.

Hij liep naar de dubbele deuren en duwde ze open.

'Hé, mama! Pap!' riep hij. 'Ik ben hier!'

Agent Delinko had erop gestaan de Eberhardts een lift naar het ziekenhuis te geven. Dat was niet meer dan fatsoenlijk – en een prima gelegenheid om punten te scoren bij Roys vader.

De politieman hoopte maar dat meneer Eberhardts zoon niet betrokken was bij de aanhoudende wandaden op het bouwterrein. Dat zou nog eens een pijnlijke situatie zijn!

Tijdens de rit naar het ziekenhuis zaten Roys ouders achterin zachtjes met elkaar te praten. Zijn moeder zei dat ze zich niet kon voorstellen hoe Roy door een hond gebeten kon worden terwijl hij met een scheikundeproject bezig was. 'Misschien had het iets te maken met al dat rundergehakt?' opperde ze.

'Rundergehakt?' vroeg Roys vader. 'Voor wat voor schoolproject heb je nu rundergehakt nodig?'

In de achteruitkijkspiegel kon agent Delinko zien dat meneer Eberhardt een arm om de schouders van zijn vrouw sloeg. Haar ogen waren vochtig en ze zat op haar onderlip te bijten. Meneer Eberhardt leek zo gespannen als een veer.

Toen ze de eerstehulpafdeling bereikten, verklaarde de receptionist dat Roy sliep en niet gestoord mocht worden. Meneer en mevrouw Eberhardt probeerden hem om te praten, maar de man wilde niet toegeven.

'Wij zijn zijn ouders,' zei meneer Eberhardt kalm, 'en we willen nu meteen naar hem toe.'

'Rustig aan, meneer, anders moet ik het afdelingshoofd erbij roepen.'

'Voor mijn part roept u de mobiele eenheid erbij,' zei meneer Eberhardt. 'Wij gaan naar binnen.'

De receptionist kwam hen door de zwaaiende dubbele deuren achterna. 'Dat kunt u niet doen!' protesteerde hij, terwijl hij langs de Eberhardts heen schoot en de gang naar de ziekenzaal blokkeerde.

Agent Delinko schoof naar voren, in de veronderstelling dat de aanblik van een politie-uniform de man wel wat milder zou stemmen. Daar vergiste hij zich in.

'Absoluut geen bezoek. Dat staat hier, in de aantekeningen van de dokter.' De receptionist zwaaide met een klembord. 'Ik ben bang dat u naar de wachtkamer terug zult moeten. Dat geldt ook voor u, agent.'

Agent Delinko krabbelde terug. Maar de Eberhardts niet.

'Hoor eens, dat is onze zoon die daarbinnen ligt,' hield Roys moeder de receptionist voor. 'U hebt *ons* gebeld, weet u nog? U zei dat we moesten komen!'

'Ja, en u mag bij Roy zodra de dokter zegt dat het mag.'

'Piep de dokter dan op. *Nu.*' De toon van meneer Eberhardts stem bleef kalm, maar het volume was een heel stuk toegenomen. 'Pak die telefoon en bel. Als u soms vergeten bent hoe dat moet, willen we dat met alle plezier voordoen.'

'De dokter heeft pauze. Ze is over vijfentwintig minuten terug,' zei de receptionist kortaf.

'En dan kan ze ons hier vinden,' zei meneer Eberhardt, 'aan het bed van onze gewonde zoon. En als u nu niet opzij gaat, laat ik u van hier naar Chokoloskee stuiteren. Begrepen?'

De man werd bleek. 'Ik g-g-geef u aan bij mijn a-a-afdelingshoofd.'

'Dat is een uitstekend idee.' Meneer Eberhardt schoof langs hem heen en liep de gang in, zijn vrouw bij haar elleboog meevoerend.

'Geen stap verder!' snauwde een resolute vrouwenstem achter hen.

De Eberhardts bleven staan en draaiden zich om. Door een deur

met ALLEEN VOOR PERSONEEL erop kwam een vrouw in licht-
blauwe dokterskleding met een stethoscoop om haar hals.
'Ik ben dokter Gonzalez. Waar dacht u heen te gaan?'
'Naar onze zoon,' antwoordde mevrouw Eberhardt.
'Ik heb geprobeerd ze tegen te houden,' kwam de receptionist
ertussen.
'U bent Roys ouders?' vroeg de dokter.
'Jazeker.' Meneer Eberhardt merkte dat dokter Gonzalez hen
vreemd nieuwsgierig bekeek.
'Neem me niet kwalijk als ik buiten mijn boekje ga,' zei ze, 'maar
u ziet er absoluut niet uit alsof u op een krabbenboot werkt.'
'Waar heeft u het in vredesnaam over?' vroeg Roys moeder. 'Is
iedereen in dit ziekenhuis knettergek?'
'Er moet een vergissing in het spel zijn,' kwam agent Delinko
ertussen. 'Meneer Eberhardt is federaal agent.'
Dokter Gonzalez zuchtte. 'Dat zoeken we straks wel uit. Kom mee,
dan gaan we een kijkje bij uw zoon nemen.'
De ziekenzaal van de eerste hulp bevatte zes bedden, waarvan er
vijf leeg waren. Rond het zesde bed waren de witte gordijnen
dichtgetrokken.
'We geven hem een infuus met antibiotica, en het gaat heel goed
met hem,' zei dokter Gonzalez zachtjes, 'maar tenzij we die honden vinden moet hij een kuur met injecties tegen hondsdolheid
krijgen, en dat is geen pretje.'
De Eberhardts gaven elkaar een arm terwijl ze naar het bed achter de gordijnen liepen. Agent Delinko bleef achter hen staan en
vroeg zich af welke kleur shirt Roy aan zou hebben. In zijn zak zat
de hardgroene reep stof die aan Moeder Paula's omheining was
blijven haken.
'U moet niet vreemd opkijken als hij slaapt,' fluisterde de dokter.
Zachtjes trok ze het gordijn weg.
Enkele ogenblikken zei niemand iets. De vier volwassenen ston-

den daar alleen maar en staarden wezenloos naar het lege bed. Aan een metalen standaard hing een plastic zak met gemberkleurige vloeistof; de losgemaakte infuusslang bungelde omlaag.

Eindelijk vroeg mevrouw Eberhardt ademloos: 'Waar is Roy?'

Dokter Gonzalez wapperde hulpeloos met haar armen. 'Dat... Dat is... Dat weet ik niet.'

'Dat *weet* u niet?' barstte meneer Eberhardt los. 'Het ene moment ligt er hier in bed een gewonde jongen te slapen en het volgende moment is hij verdwenen?'

Agent Delinko kwam tussen meneer Eberhardt en de dokter staan. Hij was bang dat Roys vader zo van streek was dat hij iets zou doen waar hij later spijt van zou krijgen.

'Waar is onze zoon?' vroeg mevrouw Eberhardt weer.

De dokter belde om een verpleegkundige en begon koortsachtig de hele zaal af te zoeken.

'Maar hij was de enige patiënt hier,' zei meneer Eberhardt kwaad. 'Hoe krijgen jullie het in vredesnaam voor elkaar de enige patiënt kwijt te raken die jullie hebben? Wat is er gebeurd – is hij door buitenaardse wezens naar hun ruimteschip opgestraald terwijl jullie koffiepauze hadden?'

'Roy? Roy, waar ben je?' riep mevrouw Eberhardt.

Dokter Gonzalez en zij begonnen onder de andere vijf bedden in de zaal te kijken. Agent Delinko haalde zijn portofoon te voorschijn en zei: 'Ik bel om versterking.'

Precies op dat moment vlogen de dubbele deuren naar de wachtkamer open.

'Hé, mama! Pap! Ik ben hier!'

De Eberhardts smoorden hun zoon zo ongeveer in een dubbele omhelzing.

'Kleine dondersteen,' zei agent Delinko grinnikend terwijl hij zijn portofoon weer wegborg. Tot zijn genoegen zag hij dat Roy geen gescheurd groen T-shirt aan had.

131

'Ho ho!' Dokter Gonzalez klapte hard in haar handen. 'Wacht even, allemaal.'

Meneer en mevrouw Eberhardt keken verbaasd op. De dokter leek niet over te lopen van blijdschap dat ze haar verloren patiënt weer terug had.

'*Dat* is Roy?' vroeg ze, op hun zoon wijzend.

'Natuurlijk. Wie zou hij anders zijn?' Mevrouw Eberhardt gaf hem een zoen op zijn kruin. 'Maar nu ga je meteen dat bed weer in, liefje –'

'Niet zo snel,' zei meneer Eberhardt. 'Ik weet niet precies wat hier allemaal aan de hand is, maar ik heb zo'n gevoel dat we de dokter een excuus schuldig zijn. Een heleboel excuses vermoedelijk.' Hij legde zijn handen stevig op Roys schouders. 'Laat die hondenbeten maar eens zien, makker.'

Roy sloeg zijn ogen neer. 'Ik ben niet gebeten, pap. Dat was ik niet.'

Mevrouw Eberhardt kreunde. 'Oké, nu snap ik het. *Ik* ben zeker degene die gek is? *Ik* ben de geschifte...'

'Mensen, neem me niet kwalijk, maar we zitten nog steeds met een groot probleem,' zei dokter Gonzalez. 'Er wordt nog steeds een patiënt vermist.'

Agent Delinko kon er geen touw meer aan vastknopen. Weer greep hij naar zijn portofoon met de bedoeling het hoofdbureau te bellen.

'Kan iemand me alsjeblieft uitleggen wat er precies aan de hand is,' vroeg mevrouw Eberhardt, 'voor mijn hoofd ontploft?'

'Er is maar één persoon die dat kan.' Meneer Eberhardt wees naar Roy, die plotseling het liefst in een holletje wilde wegkruipen om zich te verstoppen. Zijn vader draaide hem rond zodat hij met zijn gezicht naar dokter Gonzalez stond.

'Tex?' vroeg ze, terwijl ze haar ene wenkbrauw optrok.

Roy voelde zijn gezicht rood worden. 'Het spijt me heel erg.'

'Dit is een ziekenhuis. Dit is geen plaats voor spelletjes.'

'Dat weet ik wel. Het spijt me.'

'Als jij de echte Roy bent,' zei de dokter, 'wie was dan de jongeman in dat bed, en waar is hij gebleven? De waarheid, graag.'

Roy staarde naar de neuzen van zijn gympies. Hij kon zich geen andere dag in zijn leven herinneren waarop er zoveel verkeerd was gegaan.

'Zoon,' zei zijn vader, 'geef de dokter eens antwoord.'

Zijn moeder gaf een kneepje in zijn arm. 'Toe nou, lieverd. Het is belangrijk.'

'Reken er maar op dat we hem vinden,' bemoeide agent Delinko zich ermee, 'vroeg of laat.'

Somber keek Roy naar de volwassenen op.

'Ik weet niet hoe hij heet, en ik weet niet waar hij is,' zei hij. 'Het spijt me, maar dat is de waarheid.'

En technisch gesproken was dat ook zo.

DERTIEN

Terwijl Roy douchte, kookte zijn moeder een pan spaghetti. Hij at er drie borden van, hoewel de maaltijd even stil verliep als een schaakwedstrijd.

Toen hij zijn vork neerlegde, keek Roy zijn vader aan.

'Naar de studeerkamer zeker?'

'Dat klopt.'

Het was jaren geleden dat Roy echt op zijn donder had gekregen en hij vroeg zich af wat hem boven het hoofd hing. De studeerkamer was de plaats waar zijn vader hem altijd liet komen als er iets uitvoerig uit te leggen viel. Maar vanavond was Roy zo moe dat hij niet wist of hij nog wel een zinnig woord zou kunnen uitbrengen.

Zijn vader zat al te wachten achter zijn grote walnoothouten bureau.

'Wat heb je daar?' vroeg hij.

'Een boek.'

'Ja, dat zie ik. Ik hoopte op meer bijzonderheden.'

Roys vader kon sarcastisch zijn als hij dacht dat hij geen volledig antwoord kreeg. Roy nam aan dat dat het gevolg was van het jarenlang verhoren van onbetrouwbare figuren – gangsters of spionnen, of wie het ook was naar wie zijn vader een onderzoek instelde.

'Ik neem aan,' zei hij tegen Roy, 'dat dit boek enig licht kan werpen op de vreemde gebeurtenissen van vanavond.'

Roy reikte het hem aan over het bureau heen. 'Mama en jij hebben het twee jaar geleden met Kerstmis voor me gekocht.'

'Dat weet ik nog,' zei zijn vader terwijl hij het omslag bekeek. '*Sibleys Vogelgids*. Weet je zeker dat het niet met je verjaardag was?' 'Heel zeker.'

Roy had het boek op zijn verlanglijst voor Kerstmis gezet nadat het een vriendschappelijke weddenschap tussen hem en zijn vader had beslist. Op een middag hadden ze een grote roodbruine roofvogel omlaag zien duiken en een grondeekhoorn zien grijpen van een stuk veeland in de vallei van de Gallatinrivier. Roys vader had met hem gewed om een milkshake dat het een jonge Amerikaanse zeearend was wiens kopveren nog niet wit waren geworden, maar volgens Roy was het een volwassen steenarend, die vaker voorkwam op de droge prairies. Later, nadat ze naar de bibliotheek in Bozeman waren geweest en *Sibley* hadden geraadpleegd, had zijn vader toegeven dat Roy gelijk had gehad.

Meneer Eberhardt hield het boek omhoog en vroeg: 'Wat heeft dit te maken met die onzin in het ziekenhuis?'

'Kijk eens op bladzijde 278,' zei Roy. 'Ik heb er iets tussen gelegd.'

Zijn vader sloeg het boek open op de bewuste pagina.

'"Holenuil",' las hij hardop voor. '"*Athene cunicularia*. Lange poten en korte staart, relatief lange, smalle vleugels en een platte kop. De enige kleine uil die men soms bij daglicht in open veld ziet neerstrijken."' Vragend keek zijn vader hem over het boek heen aan. 'Heeft dit te maken met dat "scheikundeproject" waar je vanmiddag zogenaamd mee bezig was?'

'Dat scheikundeproject bestaat niet,' bekende Roy.

'En dat rundergehakt dat je moeder je heeft gegeven?'

'Wat lekkers voor de uilen.'

'Ga door,' zei meneer Eberhardt.

'Het is een lang verhaal, pap.'

'Ik heb alle tijd.'

'Oké,' zei Roy. In sommige opzichten, dacht hij moe, zou een donderpreek misschien gemakkelijker zijn.

'Kijk, er is een jongen,' begon hij, 'ongeveer net zo oud als ik…'
Roy vertelde zijn vader alles – nou ja, *bijna* alles. Hij zei er niet bij
dat de slangen die de stiefbroer van Beatrice Leep had losgelaten
heel giftig waren en dat de jongen hun bek had dichtgeplakt. Zulke details zouden meneer Eberhardt misschien wel erger verontrusten dan wat onschuldig vandalisme.

Hij vertelde ook maar niet dat Beatrice haar stiefbroer de bijnaam
Harderhand had gegeven, voor het geval dat zijn vader zich wettelijk verplicht voelde dat aan de politie te melden of het in een of
ander computergeheugen van de overheid op te bergen.

Voor de rest vertelde Roy alles wat hij over de rennende jongen
wist. Zijn vader luisterde zonder hem te onderbreken.

'Het is echt geen slechte jongen, pap,' zei Roy toen hij klaar was.
'Hij probeert alleen maar de uilen te redden.'

Meneer Eberhardt bleef enkele ogenblikken zwijgen. Hij sloeg
Sibleys Vogelgids weer open en keek naar de kleurenafbeeldingen
van de kleine vogels.

'Want als de mensen van Moeder Paula dat terrein gaan bulldozeren, gooien ze alle holen dicht,' zei Roy.

Zijn vader legde het boek opzij en keek Roy aan vol genegenheid,
maar ook een tikje bedroefd.

'Het terrein is hun eigendom, Roy. Ze mogen er min of meer mee
doen wat ze willen.'

'Maar –'

'Ze hebben vast wel alle benodigde papieren en vergunningen.'

'Hebben ze vergunningen om uilen te begraven?' vroeg Roy ongelovig.

'Die uilen vliegen wel weg. Die vinden ergens anders wel nieuwe
holen.'

'Maar stel dat ze jonkies hebben? Hoe moeten die dan wegvliegen?' riep Roy kwaad. 'Nou?'

'Dat weet ik niet,' gaf zijn vader toe.

'Hoe zouden mama en jij het vinden,' hield Roy aan, 'als er opeens een stelletje vreemden verscheen met bulldozers om dit huis met de grond gelijk te maken? En als ze alleen maar hoefden te zeggen: "Maak u geen zorgen, meneer en mevrouw Eberhardt, niks aan de hand. Gewoon uw bullen pakken en ergens anders gaan wonen." Hoe zou je dat vinden?'

Roys vader stond langzaam op, alsof het gewicht van zo'n honderd bakstenen op zijn schouders rustte.

'Laten we een eindje gaan wandelen,' zei hij.

Het was een rustige, wolkenloze avond en een bleek schijfje maan gluurde boven de daken uit. Zwermen insecten dwarrelden als confetti rond de bollen van de straatlantaarns. Aan het eind van het blok kon je twee katten tegen elkaar horen krijsen.

Roys vader liep met zijn kin iets omlaag, zijn handen diep in zijn zakken.

'Je wordt snel groot,' merkte hij op.

Daar keek Roy van op. 'Ik ben op twee na de kleinste van mijn klas.'

'Dat bedoelde ik niet.'

Tijdens het lopen sprong Roy van de ene spleet in de stoep naar de volgende. Ze hadden het over simpele dingen – school, sport, sport op school – tot Roy het gesprek weer in de richting leidde van het netelige onderwerp Harderhand. Hij moest weten wat zijn vaders standpunt was.

'Weet je nog die dag afgelopen zomer, toen we in de Madison Canyon ronddreven?'

'Jazeker,' zei zijn vader, 'in binnenbanden.'

'Precies,' zei Roy. 'En weet je nog dat we toen vijf Amerikaanse oehoes in één populier zagen zitten? Vijf!'

'Ja, dat weet ik nog.'

'En dat jij er een foto van wilde nemen maar dat het toestel in het water viel?'

'Niet precies. Ik *liet* het in het water vallen,' herinnerde zijn vader zich schaapachtig.

'Nou en? Het was zo'n goedkoop weggooiding.'

'Ja, maar het zou een geweldige foto zijn geworden. Vijf in één boom.'

'Ja,' zei Roy. 'Dat was echt wonderbaarlijk.'

Het uilenverhaal werkte. Zijn vader pakte de draad op.

'Die jongen waarover je vertelde – je weet echt niet hoe hij heet?'

'Dat wil hij niet zeggen. En Beatrice ook niet,' zei Roy. 'Dat is de zuivere waarheid.'

'Heeft hij niet de achternaam van zijn stiefvader aangenomen?'

'Leep? Nee, volgens Beatrice niet.'

'En je zegt dat hij niet naar school gaat.'

Roys gezicht betrok. Het klonk alsof zijn vader van plan was Harderhand aan te geven voor ongeoorloofd verzuim.

'Waar ik me zorgen om maak,' zei meneer Eberhardt, 'dat is de gezinssituatie. Die lijkt niet al te best.'

'Dat is hij ook niet,' gaf Roy toe. 'Daarom woont hij ook niet meer thuis.'

'Zijn er geen familieleden die voor hem kunnen zorgen?'

'Hij voelt zich veilig waar hij nu is,' zei Roy.

'Weet je dat zeker?'

'Geef hem alsjeblieft niet aan, pap. Alsjeblieft.'

'Hoe zou ik dat kunnen, als ik niet eens weet waar hij te vinden is?' Zijn vader knipoogde. 'Maar ik zal je vertellen wat ik wel ga doen: ik ga hier eens op mijn gemak over nadenken. En dat zou jij ook moeten doen.'

'Goed,' zei Roy. Hoe zou hij in vredesnaam aan iets anders kunnen denken? Zelfs zijn gevecht met Dana Matherson leek een vage droom van lang geleden.

'We moeten eens naar huis,' zei zijn vader. 'Het wordt al laat en je hebt een lange dag achter de rug.'

'Een ontzettend lange dag,' beaamde Roy.

Maar toen hij in bed lag, kon hij niet slapen. Zijn lichaam was doodmoe, maar zijn hoofd was nog klaarwakker en gonsde van alles wat er die dag gebeurd was. Hij besloot nog wat te lezen en pakte een boek dat *Het Land van Vroeger* heette, dat hij uit de schoolbibliotheek had geleend. Het was het verhaal van een gezin dat omstreeks 1850 in Florida woonde, toen het er nog een wildernis was. Mensen waren er nauwelijks, en de moerassen en bossen zaten vol dieren – vast een heel fijne tijd om een holenuil te zijn, overpeinsde Roy.

Een uur later lag hij half te doezelen toen hij zachtjes op zijn slaapkamerdeur hoorde kloppen. Het was zijn moeder, die binnensloop om hem welterusten te wensen. Ze pakte het boek uit zijn handen en deed de lamp op het nachtkastje uit. Toen ging ze op zijn bed zitten en informeerde hoe hij zich voelde.

'Ik ben kapot,' zei Roy.

Voorzichtig trok ze de dekens tot aan zijn nek omhoog. Hoewel hij het zo veel te warm had, protesteerde Roy niet. Het was iets moederigs; ze deed het automatisch.

'Je weet hoeveel we van je houden, lieverd,' zei ze.

Uh-oh, dacht Roy. Nou komt het.

'Maar wat je vanavond in het ziekenhuis hebt gedaan, dat je die andere jongen jouw naam hebt laten gebruiken om op de eerste hulp te worden opgenomen –'

'Dat was mijn idee, mama, niet het zijne.'

'En ik weet zeker dat je het goed bedoelde,' zei ze, 'maar toch was het een leugen, technisch gesproken. Valse informatie verschaffen of iets dergelijks. Dat is een ernstige zaak, lieverd –'

'Dat weet ik.'

'– en het punt is, nou, je vader en ik zien je niet graag in moeilijkheden komen. Zelfs niet omwille van een vriend.'

Roy duwde zich omhoog op zijn ene elleboog.

'Hij zou er liever tussenuit geknepen zijn dan zijn echte naam te geven en dat kon ik niet laten gebeuren. Hij was ziek. Hij had een dokter nodig.'

'Dat begrijp ik. Geloof me, dat begrijp ik echt.'

'Ze stelden hem allerlei nieuwsgierige vragen, mama, en intussen kon hij elk moment omvallen van de koorts,' zei Roy. 'Misschien was het verkeerd wat ik heb gedaan, maar als het moest, zou ik alles weer net zo doen. Dat meen ik.'

Hij verwachtte een lichte terechtwijzing, maar zijn moeder glimlachte alleen. Terwijl ze met twee handen de deken gladstreek zei ze: 'Soms kom je in een situatie terecht waar geen duidelijke grens is tussen goed en fout. Je hart geeft je in het ene te doen en je hoofd zegt dat je iets anders moet doen. Dan blijft je uiteindelijk niets anders over dan het van beide kanten te bekijken en te doen wat je het beste lijkt.'

Nou, dacht Roy, dat is zo'n beetje wat ik gedaan heb.

'Die jongen,' zei zijn moeder, 'waarom wilde hij zijn echte naam niet opgeven? En waarom is hij zomaar uit het ziekenhuis weggelopen?'

Harderhand was ontsnapt door een raampje in de damestoiletten, naast de röntgenafdeling. Hij had zijn gescheurde groene T-shirt achtergelaten aan de antenne van agent Delinko's patrouillewagen, die voor de eerstehulpafdeling geparkeerd stond.

'Waarschijnlijk is hij weggelopen,' antwoordde Roy, 'omdat hij bang was dat iemand zijn moeder zou bellen.'

'En wat dan nog?'

'Zij wil hem niet meer. Ze zou hem laten opsluiten in een jeugdinrichting.'

'Wat?'

'Zijn moeder heeft hem naar een militaire school gestuurd,' legde Roy uit, 'en nu wil ze hem niet meer terug. Dat heeft ze zelf gezegd, waar Beatrice bij was.'

Roys moeder hield haar hoofd schuin, alsof ze niet zeker wist of ze hem wel goed verstaan had. 'Wil zijn moeder hem niet?'

Roy zag iets in haar ogen flitsen. Hij wist niet zeker of het droefheid of woede was – of allebei.

'*Wil* ze hem niet?' herhaalde ze.

Roy knikte somber.

'O hemeltje,' zei ze.

De woorden kwamen zo zachtjes uit haar mond dat Roy ervan schrok. Hij hoorde pijn in zijn moeders stem en hij vond het rot dat hij haar dat deel van Harderhands verhaal had verteld.

'Het spijt me, mama,' zei hij. 'Ik hou van je.'

'En ik hou van jou, lieverd.'

Ze gaf hem een kus op zijn wang en stopte de lakens nog een keer in. Ze wilde de deur al achter zich dichttrekken toen hij haar zag aarzelen; ze draaide zich om en keek hem aan.

'We zijn trots op je, Roy. Dat moet je weten. Je vader en ik zijn allebei ontzettend trots op je.'

'Heeft papa je over de uilen verteld?'

'Ja. Dat is heel erg.'

'Wat moet ik doen?'

'Hoe bedoel je?'

'Niks,' zei Roy. Hij liet zich achterover zakken op zijn kussen. 'Trusten, mam.'

Ze had trouwens toch al antwoord gegeven. Het enige dat hij hoefde te doen was de strijd tussen zijn hart en zijn hoofd beslechten.

VEERTIEN

Gelukkig was het de volgende dag zaterdag, zodat Roy niet vroeg op hoefde om de schoolbus te halen.

Toen hij ging zitten om te ontbijten ging de telefoon. Het was Garrett. Die had Roy nog nooit eerder gebeld, maar nu wilde hij dat Roy mee ging skateboarden in het winkelcentrum.

'Ik heb geen skateboard, weet je nog?' zei Roy.

'Dat geeft niks. Ik heb er een extra.'

De echte reden dat Garrett belde was natuurlijk om erachter te komen wat er op Trace Middle met Dana Matherson gebeurd was.

'Iemand had hem aan een vlaggenmast gebonden, man!'

'Dat ben ík niet geweest,' zei Roy. Over dit onderwerp kon hij niet vrijuit spreken waar zijn ouders bij waren.

'Wie dan? En hoe?' wilde Garrett weten.

'Geen commentaar,' zei Roy, in navolging van Harderhand.

'O, kom nou, Eberhardt!'

'Ik zie je maandag.'

Na het ontbijt reed zijn vader hem naar de fietsenwinkel om zijn nieuwe band op te halen en tegen een uur of twaalf was Roy weer volledig mobiel. Het adres van 'L.B. Leep' stond in het telefoonboek en hij vond het huis zonder moeite. Het lag aan West Oriole Avenue, de straat waar ook de bushalte was waar hij de rennende jongen voor het eerst had gezien.

Op de oprit van de familie Leep stonden een oude gedeukte Suburban en een glimmende nieuwe Camaro cabriolet. Roy zette zijn fiets tegen de paal van de brievenbus en liep het pad op. Binnen hoorde hij ruziënde stemmen; hij hoopte maar dat het een tv-programma was waarvan het geluid een beetje hard stond. Na drie keer stevig kloppen zwaaide de deur open en daar stond Leon Leep, in zijn volle twee meter twee. Hij droeg een wijd rood sportbroekje en een mouwloos nethemd dat een bleke bierbuik vrijliet. Leon zag eruit of hij sinds zijn afscheid van het profbasketball geen vijf minuten meer in de sportzaal had doorgebracht; het enige dat nog restte van zijn lichaamsbouw in die tijd, was zijn lengte. Roy helde achterover om Leons gezicht te kunnen zien. Hij zag er verstoord en afwezig uit.

'Is Beatrice thuis?' vroeg Roy.

'Jawel, maar ze heeft het druk op het moment.'

'Eventjes maar,' zei Roy. 'Het is voor school.'

'O. School,' zei Leon, alsof hij vergeten was waar zijn dochter vijf dagen per week naartoe ging. Met een eigenaardige grom slenterde hij weg.

Even later verscheen Beatrice. Ze zag er gespannen uit.

'Mag ik binnenkomen?' vroeg Roy.

'Nee,' fluisterde ze. 'Het komt nu niet zo goed uit.'

'Kun je dan even buiten komen?'

'Nee.' Ze keek ongerust over haar schouder.

'Heb je gehoord wat er in het ziekenhuis gebeurd is?'

Ze knikte. 'Sorry dat ik niet op tijd terug was om te helpen.'

'Gaat het goed met je broer?'

'Beter dan eerst,' zei Beatrice.

'Wie is daar? Wie *is* dat?' informeerde een kille stem vanuit de gang.

'Gewoon iemand van school.'

'Een jongen?'

'Ja, een jongen,' zei Beatrice. Ze keek Roy aan en rolde met haar ogen.

Een vrouw die niet veel langer was dan Beatrice verscheen naast haar in de deuropening. Ze had een scherpe neus, achterdochtige kraaloogjes en een woeste fontein van kastanjebruine krullen. Blauwe rook kringelde van een sigaret die ze tussen haar glinsterende vingertoppen hield.

Dat kon alleen maar Lonna zijn, de moeder van Harderhand.

'Wie ben jij?' vroeg ze.

'Ik ben Roy.'

'En wat moet je, Roy?' Lonna nam een duidelijk hoorbare trek van haar sigaret.

'Het gaat over school,' zei Beatrice.

'Nou, het is anders zaterdag,' zei Lonna.

Roy deed zijn best. 'Het spijt me heel erg dat ik u stoor, mevrouw Leep. Beatrice en ik doen samen een scheikundeproject –'

'Maar niet vandaag,' onderbrak Lonna hem. 'Mejuffrouw Beatrice hier zal het de hele dag druk hebben met het huis schoonmaken. En de keuken. En de wc's. En alles wat ik verder nog kan bedenken.'

Roy vond dat Lonna zich op glad ijs waagde. Beatrice was duidelijk de sterkste van de twee en ze was ziedend van woede. Misschien zou Lonna wat beter op haar woorden hebben gepast als ze had gezien wat haar stiefdochters tanden met Roys fietsband hadden gedaan.

'Morgen misschien,' zei Beatrice tegen Roy. Ze klemde haar kaken op elkaar.

'Oké. Mij best.' Hij liep het trapje af.

'Dat "morgen" zullen we nog wel zien.' Lonna's stem klonk hatelijk en schor. 'Volgende keer bel je eerst maar,' gromde ze tegen Roy. 'Wel eens van een telefoon gehoord?'

Terwijl Roy wegfietste overwoog hij de mogelijkheid dat Harderhand misschien beter af was als hij door de bossen zwierf dan wanneer hij thuis woonde met een heks als moeder. Hij vroeg zich af waarvan een volwassene zo slechtgehumeurd en onhebbelijk kon worden. Het zou hem niets verbazen als Beatrice op een dag haar tanden niet in een fietsband zette, maar in Lonna.

Het volgende adres waar hij heen reed was het huis van Dana Matherson, waar ook al zo'n matig staaltje moederschap woonde. Roy had het gevoel dat Dana's vader ook wel geen lot uit de loterij zou zijn, en hij was degene die opendeed. Roy had weer zo'n enorme Neanderthaler verwacht, maar meneer Matherson was dun en schrikachtig en hij zag er niet gezond uit.

'Hallo. Ik ben Roy.'

'Sorry, geen interesse,' zei Dana's vader beleefd en hij wilde de deur weer dichtdoen.

'Maar ik verkoop niks,' zei Roy door de kier. 'Ik kom voor Dana.'

'Uh-oh. Niet weer.' Meneer Matherson deed de deur weer open en liet zijn stem zakken. 'Laat me raden. Hij heeft je ingehuurd om zijn huiswerk voor hem te maken.'

'Nee, meneer, ik ben gewoon een vriend van school.'

'Een *vriend*?'

Dana had niet veel vrienden, wist Roy, en de paar vrienden die hij had waren allemaal veel groter dan Roy en zagen er veel gemener uit.

'Ik neem dezelfde bus als hij,' zei hij en hij besloot Beatrices verhaal maar weer een keer te recyclen: 'We doen een scheikundeproject samen.'

Er verschenen rimpels in meneer Mathersons voorhoofd. 'Is dit een geintje of zo? Wie ben je nou eigenlijk?'

'Dat heb ik al verteld.'

Dana's vader trok zijn portefeuille. 'Oké, jongeman, genoeg eromheen gedraaid. Hoeveel ben ik je schuldig?'

'Waarvoor?'

'Voor mijn zoons huiswerk.' Meneer Matherson hield een biljet van vijf dollar omhoog. 'Het gewone tarief?'

Hij zag er verslagen en beschaamd uit. Roy had medelijden met hem. Hij begreep wel dat het geen pretje was een uilskuiken als Dana groot te brengen.

145

'U bent me geen cent schuldig,' zei hij. 'Is hij thuis?'

Meneer Matherson vroeg Roy bij de deur te wachten. Enkele ogenblikken later verscheen Dana, in afzakkende boxershort en smerige sportsokken.

'Jij!' snauwde hij.

'Klopt,' zei Roy. 'Ik ben het.'

'Wat sta je te staren, koeienkop?'

Er was anders niet veel te zien, dacht Roy. Het viel hem op dat Dana niet meer sliste en dat zijn bovenlip ook niet dik meer was.

'Je moet stapelgek zijn om helemaal hierheen te fietsen,' zei Dana, 'alleen maar om in elkaar geslagen te worden.'

'Kom even naar buiten. Ik heb niet de hele dag de tijd.'

'Wat zei je daar?'

Dana kwam de veranda op en trok de deur achter zich dicht, vermoedelijk om te voorkomen dat zijn vader getuige was van het bloedbad. Hij verzamelde zijn krachten en deed een woeste uitval naar Roys hoofd, maar die zag het aankomen. Hij bukte en Dana's vuist gaf een voltreffer aan een vogelvoerhouder van fiberglas.

Toen Dana uitgebruld was zei Roy: 'Elke keer dat je mij pijn wilt doen gebeurt er iets vervelends met je. Heb je dat nou nog niet door?'

Dana stond voorovergebogen met zijn gewonde hand te schudden. Nijdig keek hij naar Roy op.

'Zoals gisteren,' ging Roy verder, 'toen je me in de bezemkast probeerde te vermoorden. Weet je nog? Dat liep erop uit dat je door een meisje werd ingemaakt en in je blootje aan een vlaggenmast werd vastgebonden.'

'Ik was niet in mijn blootje,' beet Dana hem toe. 'Ik had mijn onderbroek aan.'

'Als je maandag weer op school komt lacht iedereen je uit. Iedereen, Dana, en dat is je eigen stomme schuld. Je had me alleen maar met rust hoeven laten. Zo moeilijk kan dat toch niet zijn?'

'Nou, ze gaan nog harder lachen als ik jou zo'n schop voor je magere kont geef dat je aan de andere kant van de wereld terechtkomt, koeienkop. Dan lachen ze zich een ongeluk, alleen ben jij er niet meer bij om het te horen.'

'Met andere woorden,' zei Roy geïrriteerd, 'je hebt er helemaal niets van geleerd.'

'Zo is dat! En jij kunt me niet dwingen!'

Roy zuchtte. 'De enige reden dat ik hierheen ben gekomen was om het uit te praten. Om een eind te maken aan dat stomme vechten.' Dat was zijn missie geweest. Als hij vrede kon sluiten met Dana Matherson, al was het maar tijdelijk, dan zou hij al zijn energie op de oplossing van het Harderhand-vraagstuk kunnen richten.

Maar Dana lachte hem in zijn gezicht uit. 'Ben je nou helemaal gek! Na alle rotzooi die mij is overkomen ben jij zo goed als dood, Eberhardt. Jij bent zo dood dat het niet leuk meer is.'

Roy zag in dat het zinloos was. 'Jij bent niet te helpen,' zei hij. 'Cool trouwens, dat paars.' Hij wees naar Dana's opgezwollen knokkels. 'Maak dat je wegkomt, koeienkop! Nu meteen!'

Roy liet hem achter op de veranda, op de voordeur bonkend en naar zijn vader schreeuwend dat hij hem erin moest laten. Kennelijk was de deur in het slot gevallen toen hij naar buiten kwam om Roy een stomp te geven.

Het was een grappig gezicht, Dana die daar in zijn wijde boxershort op en neer stond te springen, maar Roy was niet in de stemming om ervan te genieten.

Hij verstopte zijn fiets en kroop door het gat in de omheining. Op klaarlichte dag zag het autokerkhof er niet zo spookachtig uit; alleen maar heel onoverzichtelijk. Toch kostte het Roy geen enkele moeite het roestige oude busje te vinden met JO-JO'S ROOMIJS EN WATERIJS op de versleten luifel.

Beatrices broer lag achter in de wagen, in een muffe slaapzak. Toen hij Roys voetstappen hoorde bewoog hij en deed één oog open. Roy hurkte naast hem neer.

'Ik heb water voor je meegebracht.'

'Bedankt, man.' Harderhand stak zijn hand uit naar de plastic fles. 'En bedankt voor gisteravond. Heb je er last mee gekregen?'

'Viel wel mee,' zei Roy. 'Hoe voel je je?'

'Als een koeienvlaai.'

'Je ziet er beter uit dan eerst,' zei Roy en zo was het ook. De kleur was terug op zijn wangen en de arm waarin hij gebeten was, leek niet meer zo opgezet en stijf. Op zijn andere arm was een blauwe plek te zien zo groot als een knoop, waar hij de infuusnaald eruit had getrokken voor hij het ziekenhuis uit vluchtte.

'De koorts is weg, maar alles doet pijn,' zei de jongen terwijl hij zich uit zijn slaapzak wurmde. Roy keek de andere kant op terwijl hij wat kleren aantrok.

'Ik kwam je iets vertellen. Over dat nieuwe pannenkoekenhuis,' zei Roy. 'Ik heb het er met mijn vader over gehad en hij zei dat ze mogen bouwen wat ze willen op dat terrein, zolang ze de juiste vergunningen maar hebben. Daar kunnen we niks tegen doen.'

Harderhand grinnikte. '"We"?'

'Ik wou alleen maar zeggen –'

'Dat het een hopeloze zaak is, bedoel je? Kom nou, Tex, je moet eens als een outlaw leren denken.'

'Maar ik *ben* geen outlaw.'

'Dat ben je wel. Gisteravond in het ziekenhuis – dat was echt iets wat een outlaw zou doen.'

'Je was ziek. Je had hulp nodig,' zei Roy.

Harderhand dronk het laatste water op en gooide de lege fles weg. Hij stond op en rekte zich uit als een kat.

'Je bent over de grens gegaan en weet je waarom? Omdat je je aantrok wat er met mij gebeurde,' zei hij tegen Roy, 'net zoals ik me aantrek wat er met die rare uiltjes gebeurt.'

'Het zijn holenuilen. Ik heb ze opgezocht in een boek,' zei Roy, 'en dat doet me eraan denken – ze zijn denk ik niet zo dol op rundergehakt. Ze eten meestal insecten en wormen, volgens de vogelboeken.'

'Dan vang ik wel een paar insecten voor ze.' De jongen zei het een beetje ongeduldig. 'Het punt is, het is gewoon niet in de haak wat daar gebeurt. Dat land was allang van de uilen voordat het van het pannenkoekenhuis werd. Waar kom jij vandaan, Tex?'

'Uit Montana,' antwoordde Roy automatisch. Toen ging hij verder: 'Dat wil zeggen, ik ben in Detroit geboren. Maar voor we hier kwamen wonen, woonden we in Montana.'

'Ik ben nog nooit in het westen geweest,' zei Harderhand, 'maar ik weet wel dat ze daar bergen hebben.'

'Ja. Prachtige bergen.'

'Die zouden we hier moeten hebben,' zei de jongen. 'Florida is zo plat. Er is niks om te voorkomen dat ze het bulldozeren van de ene kust naar de andere.'

Roy had het hart niet hem te vertellen dat zelfs bergen niet veilig waren voor dat soort werktuigen.

'Al mijn hele leven,' zei Harderhand, 'zie ik alles hier verdwijnen – de pijnboombossen, het struikgewas, de kreken, de moerassen. Zelfs de stranden, man – daar zetten ze allemaal van die gigantische hotels neer waar alleen rijke toeristen mogen komen. Dat klopt van geen kant.'

'Dat gebeurt overal,' zei Roy.

'Dat wil nog niet zeggen dat je niet terug hoeft te vechten. Hier, kijk dit eens.' Uit een zak van zijn gehavende spijkerbroek haalde hij een verkreukeld stuk papier. 'Ik heb het geprobeerd, Tex, zie je wel? Ik heb Beatrice een brief laten schrijven, om ze over de uilen en alles te vertellen. En dit stuurden ze terug.'

Roy streek het vel papier glad. Bovenaan stond het logo van Moeder Paula, en daaronder stond:

Geachte mevrouw Leep,

Hartelijk dank voor uw brief.
Wij van Moeder Paula's Oud-Amerikaanse Pannenkoeken-
huis N.V. zijn er trots op dat het milieu ons zeer ter harte
gaat. We zullen al het mogelijke doen om met uw bezorgd-
heid rekening te houden.
U hebt mijn persoonlijke verzekering dat Moeder Paula
nauw samenwerkt met de plaatselijke autoriteiten en steeds
handelt in volledige overeenstemming met alle wetten, voor-
schriften en regels.

Hoogachtend,

Chuck E. Muckle
Directeur Public Relations

'Slap,' zei Roy terwijl hij het papier teruggaf.
'Ja, het is gewoon zo'n hoe-noem-je-dat… zo'n standaardbrief. De
uilen worden niet eens genoemd.'
Ze liepen de ijswagen uit en het zonlicht in. Hete lucht trilde boven
de autowrakken, die in lange rijen stonden, zo ver als Roy kon kij-
ken.
'Hoe lang blijf je je hier verstoppen?' vroeg hij aan de jongen.
'Tot ze me wegjagen. Zeg, wat doe je vanavond?'
'Huiswerk.'
Eigenlijk hoefde Roy alleen maar één kort hoofdstuk te lezen
voor de geschiedenisles van meneer Ryan, maar hij wilde een
excuus hebben om thuis te blijven. Hij had een voorgevoel dat
Harderhand van plan was weer een illegaal bezoekje aan het
bouwterrein van Moeder Paula te brengen.
'Nou, als je soms nog van gedachten verandert kun je me bij zons-

ondergang je-weet-wel-waar vinden,' zei de jongen, 'en breng maar een dopsleutel mee.'

Roy voelde een vreemde mengeling van ongerustheid en opwinding. Aan de ene kant maakte hij zich zorgen over de tactieken die Beatrices stiefbroer gebruikte, en aan de andere kant stond hij helemaal achter hem.

'Je bent ziek geweest,' zei Roy. 'Je hebt rust nodig.'

'Ha! Geen tijd voor.'

'Maar die dingen die jij doet, dat haalt toch niks uit,' hield Roy vol. 'Misschien vertraagt het de zaken een beetje, maar het houdt ze niet tegen. Moeder Paula is een groot bedrijf. Ze geven het heus niet zomaar op.'

'Ik ook niet, Tex.'

'Vroeg of laat krijgen ze je te pakken, en dan kom je in een jeugdinrichting terecht en –'

'Dan loop ik weer weg. Net als anders.'

'Maar mis je het dan niet dat je geen, eh, normaal leven hebt?'

'Wat je nooit hebt gehad kun je ook niet missen,' zei Beatrices stiefbroer. Roy hoorde geen spoor van bitterheid in zijn stem.

'Misschien ga ik ooit wel weer naar school,' ging de jongen verder, 'maar op het moment weet ik alles wat ik weten moet. Ik weet misschien niks van wiskunde, ik kan niet in het Frans zeggen: "Mooie poedel", en ik kan je niet vertellen wie Brazilië ontdekt heeft, maar ik kan wel vuur maken met twee droge stokjes en een steen. Ik kan in een kokospalm klimmen en genoeg verse melk te pakken krijgen voor een maand –'

Ze hoorden een motor starten en doken de ijswagen weer in.

'Die ouwe vent die hier de baas is,' fluisterde Harderhand. 'Hij heeft een terreinwagen – echt super cool. Hij zoeft hier rond of hij Jeff Gordon is.'

Toen het gebrom van de terreinwagen wegstierf naar de andere kant van het autokerkhof gaf de jongen een teken dat ze veilig de ijswagen uit konden. Hij wees Roy een kortere weg naar de opening in de omheining en samen glipten ze naar buiten.

'Waar ga je nu heen?' vroeg Roy.

'Weet ik nog niet. Beetje spieden misschien.'

'Spieden?'

'Je weet wel, de boel verkennen,' zei Harderhand. 'Doelwitten voor vanavond bekijken.'

'O.'

'Ga je niet vragen wat ik van plan ben?'

'Misschien is het beter als ik dat niet weet,' zei Roy. Hij overwoog even te vertellen dat zijn vader voor justitie werkte. Misschien zou de jongen dan beter begrijpen waarom Roy liever niet meedeed, ook al sympathiseerde hij met de kruistocht voor de uilen. Roy moest er niet aan denken zijn ouders door tralies heen in de ogen te moeten kijken als Harderhand en hij betrapt zouden worden.

'Mijn vader werkt voor de regering,' zei hij.

'Dat is fijn,' zei de jongen. 'Mijn vader zit de hele dag worstenbroodjes te eten en naar de sportzender te staren. Kom op, Tex, ik moet je iets ontzettend cools laten zien.'

'Ik heet Roy.'

'Goed dan, *Roy*. Kom mee.'

Toen begon hij te rennen, alweer.

Tijdens een zomer aan het eind van de jaren zeventig, lang voor Roy Eberhardt geboren werd, ontstond er boven de Golf van Mexico een kleine maar krachtige tropische storm die een paar kilometer ten zuiden van Coconut Cove de kust bereikte. Er vielen geen doden of gewonden, hoewel de ruim drie meter hoge vloedgolf zware schade toebracht aan wegen en gebouwen langs de kust.

Onder de slachtoffers was een krabbenboot die de *Molly Bell* heette en die van haar anker werd losgerukt en een volle getijdekreek op werd gesleurd. Daar zonk ze in de modder en verdween uit het zicht.

De storm ging liggen, de hoge golven trokken zich terug en daar, half boven het oppervlak uitstekend, lag de verdwenen krabbenboot. En daar bleef ze liggen, want de kreek was zo ondiep, de stroming zo verraderlijk en de oesterbedden zo gevaarlijk dat geen enkele berger zijn eigen schip op het spel zette om de *Molly Bell* terug te halen.

Elk seizoen werd de boot kleiner en havelozer; de stevige boeg en het dek waren blootgesteld aan vernieling door houtwormen, zeepokken en het weer. Twintig jaar later was het enige dat nog van de *Molly Bell* boven water stak het schuine, uitgebleekte dak van de stuurhut − net breed genoeg voor twee jongens om er naast elkaar op te kunnen zitten, hun gezicht omhoog naar de zon, hun benen bungelend boven de lichtgroene kreek.

Roy werd overweldigd door de wonderbaarlijke stilte; de dichte oude mangroven sloten de plek af voor het getoeter en gehamer van de beschaving. Beatrices broer sloot zijn ogen en ademde gretig het zilte briesje in.

Een eenzame visarend hing boven hun hoofd, aangetrokken door een glinstering van kleine visjes in het ondiepe water. Stroomopwaarts dreef een school jonge tarpon, ook al uit op de lunch. Vlakbij stond een reiger majestueus op één poot, in dezelfde boom waaraan de jongens hun schoenen hadden gehangen voor ze naar de verwaarloosde boot zwommen.

'Twee weken geleden heb ik hier een krokodil gezien. Van bijna drie meter,' merkte de jongen op.

'Geweldig. Dat zegt-ie nú,' zei Roy met een lachje.

De waarheid was dat hij zich volkomen veilig voelde. De kreek was ongelooflijk mooi en ongerept; een verborgen schuilplaats, op maar twintig minuten van hun eigen tuin.

Misschien zou ik deze plek zelf ook wel hebben gevonden, dacht hij, als ik niet zoveel tijd had verspild met zitten kniezen en heimwee hebben naar Montana.

'Het zijn niet de krokodillen waar je je zorgen om moet maken,' zei de jongen. 'Het zijn de muggen.'

'Heb je Beatrice wel eens mee hierheen genomen?'

'Eén keer. Ze werd door een blauwe krab in haar grote teen gebeten en dat was dat.'

'Arme krab,' zei Roy.

'Ja, dat zag er niet mooi uit.'

'Mag ik je iets vragen?'

'Alles behalve mijn naam,' zei Harderhand. 'Ik wil er geen en ik heb er geen nodig ook. Niet hier buiten.'

'Wat ik wilde vragen,' zei Roy, 'is over jou en je moeder. Hoe zit dat nou precies?'

'Weet ik niet. Het heeft gewoon nooit geklikt tussen ons,' zei de jongen nuchter. 'Ik ben al lang geleden opgehouden me daar druk om te maken.'

Dat kon Roy maar moeilijk geloven.

'En je echte vader?'

'Heb ik nooit gekend.' De jongen haalde zijn schouders op. 'Zelfs nog nooit op een foto gezien.'

Daar wist Roy niets meer op te zeggen en daarom liet hij het er maar bij. Stroomafwaarts bewoog het water plotseling heftig en een stuk of tien zilverachtige vissen, zo groot als een sigaar, sprongen tegelijkertijd omhoog, in een poging aan een hongerige roofvis te ontkomen.

'Cool! Daar komen ze.' De jongen wees naar de scherpe V in het wateroppervlak. Hij ging plat op zijn buik liggen en gaf Roy opdracht zijn enkels vast te houden.

'Waarvoor?'

'Schiet op, man, vooruit!'

Met Roy als een anker aan zijn voeten schoof de jongen over de

154

rand van de stuurhut naar voren tot zijn magere bovenlijf boven de kreek hing.

'Niet loslaten!' gilde hij, zijn bruine armen uitstrekkend tot zijn vingertoppen het water raakten.

Roys handen begonnen weg te glijden. Daarom dook hij naar voren en ging met zijn volle gewicht om het middel van de jongen hangen. Hij verwachtte dat ze allebei in de kreek terecht zouden komen, wat niet erg was zolang ze maar niet over de oesterbanken schuurden.

'Daar komen ze! Hou je klaar!'

'Ik heb je beet.' Roy slaagde erin te blijven vasthouden toen hij de jongen een uitval voelde doen. Hij hoorde gegrom, een plons en toen een triomfantelijk 'Woooe-hoooe!!!'

Hij greep de jongen bij zijn riemlussen en trok hem weer veilig op de stuurhut. Harderhand draaide zich om en ging stralend overeind zitten, zijn handen tot een kommetje gevouwen voor zich.

'Moet je kijken,' zei hij tegen Roy.

Hij hield een glanzend visje met een stompe kop vast, dat glinsterde als vloeibaar chroom. Hoe hij zo'n glibberig wezentje met zijn blote handen uit het water had kunnen pakken was Roy een raadsel. Zelfs de visarend zou onder de indruk zijn geweest.

'Dus dat is een harder,' zei Roy.

'Klopt.' De jongen glimlachte trots. 'Zo kom ik aan die bijnaam.'

'Hoe deed je dat precies? Wat is de truc?'

'Oefening,' antwoordde de jongen. 'En neem maar van mij aan dat dat heel wat leuker is dan huiswerk maken.'

Het visje glinsterde blauw en groen terwijl het wriemelde tussen zijn handen. De jongen hield het boven de kreek en liet los. De harder landde met een zacht *plop* en verdween in de diepte.

'Tot kijk, makker,' zei Beatrices stiefbroer. 'Zwem maar snel.'

Later, terug op de oever, werd de nieuwsgierigheid Roy te mach-

155

tig. Hij hoorde zichzelf zeggen: 'Oké, nu kun je het wel vertellen. Wat gaat er vanavond bij Moeder Paula gebeuren?'

Harderhand, die een slak van een van zijn nieuwe gympies schudde, wierp hem een plagerige blik toe. 'Er is maar één manier om daarachter te komen,' zei hij. 'Erbij zijn.'

VIJFTIEN

Roy zat in kleermakerszit op de vloer en staarde omhoog naar de cowboyposter van de rodeo in Livingston. Hij wilde dat hij net zo moedig was als een kampioen stierenrijder, maar dat was hij niet. De Moeder Paula-missie was gewoon te riskant; iemand of iets zou hen opwachten. Die waakhonden mochten dan weg zijn, het bedrijf zou het terrein voor het nieuwe pannenkoekenhuis heus niet lang onbewaakt laten.

Niet alleen was hij bang betrapt te worden, hij had er ook grote moeite mee iets illegaals te doen – en je kon er niet omheen dat vandalisme een delict was, hoe goed het doel ook was.

Toch bleef hij steeds maar vooruitdenken aan de dag waarop de uilenholen door bulldozers verwoest zouden worden. In gedachten zag hij de moederuilen en vaderuilen al hulpeloos rondjes vliegen terwijl hun kleintjes onder tonnen aarde bedolven werden.

Dat maakte hem bedroefd en kwaad. Wat maakte het uit dat Moeder Paula alle benodigde vergunningen had? Dat iets legaal was betekende niet automatisch dat het ook in orde was.

Roy had nog steeds de strijd tussen zijn hoofd en zijn hart niet beslecht. Er moest toch een manier zijn om de vogels – en Beatrices stiefbroer – te helpen zonder de wet te overtreden. Hij moest een plan verzinnen.

Toen hij naar buiten keek, werd hij eraan herinnerd dat de tijd drong. De schaduwen waren langer geworden, wat betekende dat de zon algauw zou ondergaan en dat Harderhand op pad zou gaan. Voor hij het huis uitging stak Roy zijn hoofd om de deur van de keuken, waar zijn moeder bij het fornuis stond.

'Waar ga je heen?' vroeg ze.

'Eindje fietsen.'

'Alweer? Je bent net terug.'

'Hoe laat eten we? Het ruikt lekker.'

'Stoofschotel, lieverd, niets bijzonders. Maar we eten pas om half-acht of acht uur – je vader was laat klaar met golfen.'

'Prima,' zei Roy. 'Tot straks, mam.'

'Wat ga je doen?' riep ze hem na. 'Roy?'

Hij reed in volle vaart naar de straat waar Dana Matherson woonde en zette zijn fiets vast aan een straatnaambord. Toen naderde hij het huis te voet en glipte onopgemerkt door de heg de achtertuin in.

Hij was niet lang genoeg om door de ramen te kunnen kijken; hij moest omhoogspringen en zich vastgrijpen. In de eerste kamer zag hij een dunne kreukelige gestalte languit op de bank liggen: Dana's vader, die zo te zien een zak ijs tegen zijn voorhoofd hield.

In de tweede kamer zag hij óf Dana's moeder óf Dana zelf, in een rode stretchbroek, met een haveloze pruik. Roy kwam tot de conclusie dat het mevrouw Matherson wel zou zijn, omdat de persoon in kwestie een stofzuiger voortduwde. Hij liet zich zakken en kroop langs de buitenmuur verder tot hij bij het derde raam kwam.

En ja hoor, daar was Dana.

Hij hing onderuitgezakt op zijn bed, een luie, vormeloze hoop in een vuile broek en hoge gympies met losse veters. Hij had een stereokoptelefoon op en zijn hoofd schokte heen en weer op de maat van de muziek.

Roy ging op zijn tenen staan en roffelde met zijn knokkels op het glas. Dana hoorde hem niet. Roy bleef roffelen tot op de veranda van de buren een hond begon te blaffen.

Toen hij zich weer optrok om naar binnen te gluren keek Dana hem door het raam heen nijdig aan. Hij had zijn koptelefoon afgedaan en zei een paar woorden die zelfs een amateurliplezer had kunnen begrijpen.

Glimlachend liet Roy zich zakken en ging twee stappen achteruit. Daarna deed hij iets wat je absoluut niet zou verwachten van een jongen die eigenlijk nogal verlegen was.

Hij salueerde stram, draaide zich om, liet zijn broek zakken en bukte zich voorover.

Op zijn kop gezien (zoals Roy het zag) kreeg je uit de grote ogen die Dana opzette de indruk dat nog nooit iemand dit minachtende gebaar tegen hem had gemaakt. Hij leek hoogst beledigd.

Kalm trok Roy zijn broek weer op. Toen liep hij naar de voorzijde van het huis en wachtte tot Dana woedend naar buiten kwam rennen. Dat duurde niet lang.

Roy ging er in een aardig tempo vandoor, met Dana niet meer dan twintig meter achter hem, vloekend en scheldend. Roy wist dat hij het hardst kon lopen en daarom hield hij wat in; hij wilde niet dat Dana de moed verloor en het opgaf.

Toch werd het na drie blokken duidelijk dat Dana in een nog slechtere conditie was dan Roy had verwacht. Langzaam maar zeker raakte hij buiten adem, de kwade vloeken gingen over in vermoeid gekreun en de scheldnamen in zielig gehijg.

Toen Roy omkeek zag hij Dana voorovergebogen in een sukkeldrafje voortstrompelen. Het was meelijwekkend. Ze waren nog ruim een halve kilometer van de plek waar Roy naartoe wilde, maar hij begreep dat Dana het niet zou halen zonder een pauze om op adem te komen. Die sneue vetzak kon elk moment omkieperen.

Er zat voor Roy niets anders op dan net te doen of hij ook moe werd. Hij rende trager en trager, en zijn voorsprong werd steeds kleiner, tot Dana zo ongeveer over hem struikelde. Roy voelde de vertrouwde zweethanden om zijn nek, maar hij besefte ook dat Dana te uitgeput was om zijn keel dicht te knijpen. Het joch probeerde alleen maar te voorkomen dat hij op de grond viel.

Het werkte niet. Ze gingen samen neer, Roy onderop. Dana hijgde als een nat ploegpaard.

'Geen pijn doen! Ik geef het op!' piepte Roy overtuigend.

'Unnnggghhh.' Dana's gezicht was zo rood als een biet; zijn oogballen draaiden in hun kassen.

'Jij wint!' riep Roy.

'Aaaarrgghhh.'

Dana's adem rook smerig, maar zijn lichaamsgeur was echt onverdraaglijk. Roy draaide zijn hoofd opzij om naar frisse lucht te happen.

Onder hen was de grond zacht en de aarde pikzwart. Roy vermoedde dat ze in iemands tuin terecht waren gekomen. Het leek wel een eeuwigheid, zo lang als ze daar lagen, terwijl Dana bijkwam van de achtervolging. Roy had een gevoel of hij werd fijngedrukt, hoogst ongemakkelijk, maar het had geen zin te proberen zich los te wurmen onder Dana's dode gewicht.

Eindelijk bewoog Dana. Hij pakte Roy wat steviger vast en zei: 'Nou ga ik je in elkaar slaan, Eberhardt.'

'Niet doen, alsjeblieft.'

'Je hebt me je blote kont laten zien!'

'Dat was een geintje. Het spijt me echt.'

'Kom nou, als je iemand je blote kont laat zien weet je wat ervan komt. Dan krijg je een pak slaag.'

'Ik kan het je niet kwalijk nemen dat je pissig bent,' zei Roy.

Dana stompte hem in zijn ribben, maar er zat niet veel kracht achter.

'Vind je het nou nog zo grappig, koeienkop?'

Roy schudde van nee en deed net of het pijn deed.

Dana grijnsde kwaadaardig. Zijn tanden waren stomp en geel als die van een oude boerenwaakhond. Hij knielde op Roys borst en haalde uit om hem opnieuw te raken.

'Wacht!' piepte Roy.

'Waarop? Dit keer is Beatrice de Beer er niet om je te redden.'
'Peuken,' zei Roy op een vertrouwelijke fluistertoon.
'Huh?' Dana liet zijn vuist zakken. 'Wat zei je daar?'
'Ik weet ergens een hele doos sigaretten te liggen. Als je belooft dat je me niet in elkaar slaat, zal ik het je wijzen.'
'Wat voor sigaretten?'
Aan dat detail had Roy niet gedacht toen hij zijn nepverhaal verzon. Het was niet bij hem opgekomen dat Dana kieskeurig zou zijn wat het merk betrof.
'Gladiators,' zei hij. Die naam herinnerde hij zich van een advertentie in een tijdschrift.
'Gold of Light?'
'Gold.'
'Kom nou!' riep Dana.
'Echt waar,' zei Roy.
De uitdrukking op Dana's gezicht was niet moeilijk te lezen – hij was al een plannetje aan het bedenken om een deel van de sigaretten voor zichzelf in te pikken en de rest met een leuke winst aan zijn vrienden te verkopen.
'Waar liggen die dan?' Hij klom van Roy af en rukte hem omhoog tot hij overeind zat. 'Vertel op!'
'Eerst moet je beloven me niet in elkaar te slaan.'
'Natuurlijk, man, dat beloof ik.'
'Ook later niet,' zei Roy. 'Nooit meer.'
'Ja hoor, mij best.'
'Ik wil horen dat je het zegt.'
Dana lachte neerbuigend. 'Goed hoor, koeienkoppie. Ik zal je nooit, echt helemaal *nooit* meer in elkaar slaan. Zo goed? Dat zweer ik op mijn vaders graf. Ben je nou tevreden?'
'Je vader leeft nog,' merkte Roy op.
'Dan zweer ik het op Nathalies graf. En zeg nou maar waar die Gladiator Golds verstopt liggen. Ik maak geen geintje.'

'Wie is Nathalie?' vroeg Roy.

'Mijn moeders parkiet. Dat is de enige dooie die ik weet.'

'Dan moet het zo maar goed zijn.' Op grond van wat hij van de familie Matherson had gezien had Roy het onaangename gevoel dat de arme Nathalie geen natuurlijke dood was gestorven.

'Zijn we het zo eens?' vroeg Dana.

'Ja,' antwoordde Roy.

Het was tijd om die grote sufkop te laten gaan. De zon was in zee gezakt en de straatlantaarns floepten aan.

Roy begon: 'Er is een braakliggend terrein op de hoek van Woodbury en East Oriole.'

'Ja?'

'In een hoek van dat terrein staat een bouwkeet. Daar liggen de sigaretten.'

'Prachtig. Een hele doos,' zei Dana hebberig. 'Maar hoezo weet jij daarvan af?'

'Omdat mijn vrienden en ik ze daar verstopt hebben. We hebben ze gejat van een vrachtwagen in het Seminole-reservaat.'

'Jij?'

'Ja, ik.'

Het was een vrij geloofwaardig verhaal, dacht Roy. De indianenstam verkocht belastingvrije tabakswaren en rokers kwamen van heinde en ver om voorraden in te slaan.

'Waar ergens in de keet?' wilde Dana weten.

'Je kunt ze niet missen,' zei Roy. 'Als je wilt kan ik het je wel laten zien.'

Dana snoof. 'Nee, dank je. Ik vind ze wel.'

Hij zette twee vingers midden op Roys borst en gaf een flinke zet. Roy plofte achterover in het bloembed en zijn hoofd kwam in dezelfde zachte ondergrond terecht. Hij wachtte een minuut of wat voor hij opstond en zich afklopte.

Tegen die tijd was Dana Matherson allang verdwenen.

Curly overleefde de vrijdagnacht, al was het niet zonder ongemak. Het eerste dat hij die zaterdagochtend deed was naar de ijzerwinkel rijden en een stevige nieuwe wc-bril kopen voor het toilet in de bouwkeet, plus een stuk of tien grote rattenvallen. Toen ging hij bij de Blockbuster langs om een film te huren voor als de kabel soms weer uitviel.

Vandaar reed hij naar huis, waar zijn vrouw hem vertelde dat zij de pick-uptruck nodig had omdat haar moeder in de andere auto naar de bingohal ging. Curly had niet graag dat er iemand anders in zijn truck reed en daarom was hij in een chagrijnige bui toen zijn vrouw hem bij de keet afzette.

Voor hij zich bij de tv installeerde haalde hij zijn revolver te voorschijn en deed vluchtig de ronde over het terrein. Er scheen nergens iemand aan gezeten te hebben, ook niet aan de piketpaaltjes. Hij begon al te geloven dat zijn aanwezigheid werkelijk indringers van het bouwterrein weghield. Vanavond zou dat pas echt blijken; wanneer de pick-uptruck niet bij de bouwkeet geparkeerd stond zou het terrein er verlaten en uitnodigend uitzien.

Toen hij langs de omheining liep kwam hij tot zijn blijdschap niet één watermoccasin tegen. Dat betekende dat hij zijn vijf overgebleven kogels kon bewaren voor het geval dat zijn veiligheid serieus bedreigd werd, al wilde hij geen herhaling van het zenuwslopende fiasco met de veldmuis.

Vastbesloten om ongenode knaagdieren af te schrikken smeerde Curly pindakaas in de rattenvallen bij wijze van aas en legde ze toen op strategische plekken langs de buitenmuren van de bouwkeet.

Om een uur of vijf warmde hij een diepvriesmaaltijd op in de magnetron en stopte hij de film in de video. De kalkoenpastei was lang niet slecht, en de kersentaart bleek verrassend lekker. Curly liet geen kruimel over.

Jammer genoeg was de film een teleurstelling. Hij heette *Het laatste huis aan Witch Boulevard III* en een van de hoofdrollen werd gespeeld door niemand minder dan Kimberly Lou Dixon.

Iemand van de Blockbuster had Curly geholpen de film te vinden. Hij was van een paar jaar geleden, vóór Kimberly Lou Dixon werd gecontracteerd voor de tv-reclames van Moeder Paula. Curly vermoedde dat het haar allereerste filmrol was nadat ze met de schoonheidswedstrijden was gestopt.

Ze speelde een knappe cheerleader die tot heks werd omgetoverd en de sterren van het footballteam in de kelder in een kookpot stopte. Haar haar was voor die rol knalrood geverfd en ze droeg een valse neus met een rubberen wrat op de punt.

Er werd belabberd geacteerd en de special effects waren waardeloos, en daarom spoelde Curly in fast-forward naar het einde van de band. In de slotscène ontsnapte de stoere quarterback uit de kookpot en gooide een of ander toverpoeder over Kimberly Lou Dixon heen, die weer terugveranderde van heks in knappe cheerleader voor ze in zijn armen viel. Toen, terwijl de quarterback op het punt stond haar te kussen, veranderde ze in een dode leguaan.

Vol walging zette Curly de video uit. Als hij Kimberly Lou Dixon ooit in levende lijve ontmoette zou hij niet over *Het laatste huis aan Witch Boulevard III* beginnen, besloot hij.

Hij schakelde over op de kabel en vond een golftoernooi, waar hij slaperig van werd. De eerste prijs bestond uit een miljoen dollar en een nieuwe Buick, maar toch kon Curly zijn ogen niet openhouden.

Toen hij weer wakker werd was het donker buiten. Een geluid had hem uit zijn dutje opgeschrikt, maar hij wist niet goed wat het was. Plotseling hoorde hij het weer: PATS!

Meteen klonk er een kreet – mogelijk van een mens, maar daar was Curly niet zeker van. Hij zette het geluid van de tv uit en greep naar zijn wapen.

Iets – een arm? een vuist? – bonsde tegen de aluminium zijwand van de keet. Toen kwam er weer een PATS, gevolgd door een gedempte vloek.

Curly sloop naar de deur en wachtte. Zijn hart bonkte zo hard dat hij bang was dat de indringer het zou horen.

Zodra de deurknop begon te bewegen kwam Curly in actie. Hij liet zijn ene schouder zakken, gaf een brul zoals hij bij de marine had geleerd en stormde de keet uit, zodat de deur uit zijn hengsels vloog.

De indringer gaf een kreet toen hij in een hoop op de grond belandde. Curly hield hem daar met een zware laars op zijn middenrif.

'Geen beweging!'

'Ik blijf liggen! Echt waar!'

Curly liet de loop van zijn wapen zakken. Bij het licht uit de bouwkeet kon hij zien dat de indringer niet meer dan een jongen was – een dikke hobbezak van een jongen. Hij was per ongeluk tussen de rattenvallen beland, en twee ervan zaten scheef aan zijn gympies geklemd.

Dat zal pijn doen, dacht Curly.

'Niet schieten! Niet schieten!' riep de jongen.

'Ach, hou toch op.' Curly stak de .38 in zijn riem. 'Hoe heet je, joh?'

'Roy. Roy Eberhardt.'

'Nou, jij bent goed zuur, Roy.'

'Sorry, man. Geen politie bellen alsjeblieft. Oké?'

De jongen begon te kronkelen en daarom drukte Curly zijn laars wat harder omlaag. Toen hij het terrein overzag merkte hij dat het slot aan het hek gekraakt was met een zwaar stuk cement.

'Jij dacht zeker dat je heel gehaaid was,' zei hij, 'dat je hier in en uit kon glippen wanneer je maar wou. Met dat wijsneuzige gevoel voor humor van je.'

De jongen keek op. 'Waar heb je het over?'

165

'Hou je maar niet van de domme, Roy. Jij hebt ook al die piketpaaltjes eruit gerukt, en die alligators in de wc's gestopt –'
'Wat! Je bent gek, man.'
'– en die politiewagen met verf bespoten. Geen wonder dat je niet
wilt dat ik de politie bel.' Curly boog zich over hem heen. 'Wat
mankeert jou, joh? Heb je iets tegen Moeder Paula? Eerlijk gezegd
lijk je me iemand die wel een lekkere pannenkoek lust.'
'Dat is ook zo! Ik ben *gek* op pannenkoeken!'
'Wat zit er dan achter?' vroeg Curly. 'Waarom doe je al die dingen?'
'Maar ik ben hier nog nooit geweest!'
Curly haalde zijn voet van de buik van het joch. 'Kom op, joh.
Opstaan.'
De jongen pakte zijn hand, maar in plaats van zich door Curly
overeind te laten trekken trok hij Curly omlaag. Curly slaagde erin
zijn ene arm om de nek van de jongen te krijgen, maar het joch
wist zich los te trekken en smeet hem een handvol aarde in zijn
gezicht.
Net als in die stomme film, dacht Curly, terwijl hij ongelukkig in
zijn ogen wreef, alleen verander ik niet in een cheerleader.
Hij kreeg de troep net op tijd uit zijn ogen om de jongen te zien
wegrennen. De rattenvallen klepperden als castagnetten aan de
neuzen van zijn schoenen. Curly probeerde de achtervolging in te
zetten, maar hij had nog maar een stap of vijf gedaan toen hij in
een uilengat trapte en op zijn gezicht viel.
'Ik krijg je nog wel, Roy!' brulde hij het donker in. 'Je geluk is op,
makker!'

Agent David Delinko had een vrije zaterdag, wat heel prettig was.
Het was een hectische week geweest, met als hoogtepunt die eigenaardige scène op de eerste hulp.
Het vermiste slachtoffer van de hondenbeten was niet gevonden
of geïdentificeerd, hoewel agent Delinko nu een groen shirt had

dat bij de afgescheurde mouw hoorde die hij op het bouwterrein van Moeder Paula had gevonden. De jongen die uit het ziekenhuis was ontvlucht moest het aan de antenne van de patrouillewagen hebben gebonden, waarschijnlijk bij wijze van grap.

Agent Delinko had er genoeg van het doelwit van zulke grappen te zijn, al was hij blij met de nieuwe aanwijzing. Die wees erop dat de vluchteling uit de eerste hulp een van de vandalen van Moeder Paula was, en dat die knaap Roy Eberhardt meer van de zaak afwist dan hij wilde toegeven. Agent Delinko vermoedde dat Roys vader het mysterie tot op de bodem zou uitzoeken, gezien zijn specifieke ervaring in ondervragingen.

De agent had de hele middag naar baseball op tv zitten kijken, maar allebei de teams uit Florida werden ingemaakt – de Devil Rays verloren met vijf punten en de Marlins met zeven. Rond etenstijd keek hij in zijn koelkast en ontdekte dat er niets anders te eten was dan drie afzonderlijk verpakte plakjes kaas.

Meteen ging hij op weg naar de avondwinkel voor een diepvriespizza. Zoals de laatste tijd zijn gewoonte was maakte hij een omweg langs het terrein van Moeder Paula. Hij hoopte nog steeds de vandalen, wie het ook waren, op heterdaad te betrappen. Als dat gebeurde zou er voor de commandant en de brigadier niet veel anders opzitten dan hem van zijn bureaudienst te ontslaan en hem weer op patrouille te laten gaan – met een schitterende aantekening in zijn dossier.

Toen hij met de patrouillewagen East Oriole opdraaide vroeg agent Delinko zich af of de afgerichte rottweilers die avond het terrein van het pannenkoekenhuis zouden bewaken. In dat geval zou het geen zin hebben dat hij stopte; niemand zou iets proberen met die dolle honden in de buurt.

In de verte verscheen een logge gestalte midden op straat. Hij naderde met vreemde, haperende passen. Agent Delinko remde en tuurde achterdochtig door de voorruit.

Toen de gestalte dichterbij kwam en door het schijnsel van de straatlantaarns liep, kon de agent zien dat het een forse tiener was. De jongen hield zijn hoofd gebogen en scheen haast te hebben, hoewel hij niet gewoon rende; het was meer slingerend strompelen. Bij elke stap maakte hij een scherp, klikkend geluid dat op het wegdek weerkaatste.

Toen de jongen binnen het bereik van de koplampen van de politieauto kwam zag agent Delinko dat er aan allebei zijn gympies een plat, rechthoekig voorwerp hing. Hier was iets heel vreemds gaande.

De agent zette het blauwe zwaailicht aan en stapte uit de auto. De jongen bleef verbaasd staan en keek op. Zijn mollige borst ging op en neer en zijn gezicht glom van het zweet.

'Kan ik je even spreken, jongeman?' vroeg agent Delinko.

'Nee,' antwoordde de jongen en sloeg op de vlucht.

Met rattenvallen aan zijn voeten kwam hij niet ver. Het kostte agent Delinko geen enkele moeite hem te pakken te krijgen en achter het gaas op de achterbank van de politiewagen te zetten. De zelden gebruikte handboeien van de agent werkten uitstekend.

'Waarom ging je ervandoor?' vroeg hij zijn jonge gevangene.

'Ik wil een advocaat,' antwoordde het joch onverstoorbaar.

'Grapjas.'

Agent Delinko maakte een U-bocht om de jongen naar het bureau te brengen. Toen hij in zijn achteruitkijkspiegel keek zag hij nog iemand aan komen rennen, die fanatiek met zijn armen zwaaide.

Wat nou weer, dacht de agent terwijl hij op de rem trapte.

'Hé! Wacht even!' schreeuwde de naderende figuur. Zijn goed herkenbare kale hoofd glom onder de straatlantaarns.

Het was Leroy Branitt, ook wel bekend als Curly, de voorman van het Moeder Paula-project. Hij hijgde en pufte toen hij de politiewagen bereikte, en liet zich uitgeput tegen de motorkap vallen. Zijn gezicht was knalrood en zat vol vegen aarde.

Agent Delinko leunde uit het raampje en informeerde wat er aan de hand was.

'Je hebt hem te pakken!' riep de voorman buiten adem. 'Goed gedaan!'

'Wie heb ik te pakken?' De agent keek om naar zijn gevangene op de achterbank.

'Hem! Die kleine gluiperd die op ons terrein loopt te rotzooien.' Curly ging recht staan en wees beschuldigend naar de tiener. 'Hij probeerde vanavond mijn keet in te komen. Nog een geluk dat ik zijn stomme kop er niet afgeschoten heb.'

Agent Delinko bedwong met moeite zijn opwinding. *Het was hem echt gelukt! Hij had de vandaal van Moeder Paula te pakken gekregen!*

'Ik had hem vast en hij ontsnapte,' vertelde Curly, 'maar niet voordat ik zijn naam uit hem had gekregen. Hij heet Roy. Roy Eberhardt. Toe maar, vraag het hem zelf maar!'

'Dat hoeft niet,' zei agent Delinko. 'Ik ken Roy Eberhardt en dit is hem niet.'

'Wat!' Curly was razend, alsof hij een eerlijk antwoord van de jonge inbreker had verwacht.

'Ik neem aan dat u een aanklacht wilt indienen,' zei agent Delinko.

'Nou en of ik dat wil! Die gluiperd probeerde me nog blind te maken ook. Hij gooide aarde in mijn ogen!'

'Dat is geweldpleging,' zei agent Delinko, 'in combinatie met poging tot inbraak, wederrechtelijk betreden, vernietiging van privé-eigendom en ga zo maar door. Maak u maar geen zorgen, ik zet het allemaal in mijn rapport.' Hij wees naar de passagierskant en zei tegen Curly dat hij moest instappen. 'U zult mee moeten naar het hoofdbureau.'

'Met plezier.' Curly trok een nijdig gezicht naar de norse pummel op de achterbank. 'Wil je horen hoe hij die idiote rattenvallen aan zijn teentjes gekregen heeft?'

'Straks,' zei agent Delinko. 'Dan wil ik alles horen.' Dit was de grote doorbraak waarop hij had gewacht. Hij kon haast niet wachten tot ze op het bureau waren en hij een volledige bekentenis uit de jongen kon loskrijgen.

Uit trainingsfilms wist hij nog dat je subtiele psychologie moest gebruiken als je met onwillige verdachten te maken had. Daarom zei hij opzettelijk vriendelijk: 'Weet je, jongeman, je kunt het allemaal veel gemakkelijker voor jezelf maken.'

'Ja hoor,' mompelde het joch vanachter de gaasafscheiding.

'Om te beginnen zou je ons je echte naam kunnen vertellen.'

'Gut, die ben ik vergeten.'

Curly grinnikte ruw. 'Dat wordt leuk, om die in de cel te zetten.'

Agent Delinko haalde zijn schouders op. 'Dan moet je het zelf maar weten,' zei hij tegen de jeugdige gevangene. 'Mij best, als je niks wilt zeggen. Daar geeft de wet je toestemming voor.'

De jongen glimlachte scheef. 'En als ik iets wil vragen?'

'Ga je gang, vraag maar.'

'Oké, dat zal ik doen,' zei Dana Matherson. 'Kan ik bij een van jullie twee sukkels soms een sigaret bietsen?'

ZESTIEN

Terwijl de Eberhardts aan de lunch zaten ging de bel.
'Op zondag – moet dat nou!' zei Roys moeder. Zij vond dat zondagen voor gezinsactiviteiten gereserveerd hoorden te blijven.
'Je hebt bezoek,' zei Roys vader toen hij van de voordeur terugkwam.
Roy voelde zijn maag verkrampen, want hij verwachtte niemand. Hij vermoedde dat er de vorige avond wel iets opzienbarends op het terrein van het pannenkoekenhuis gebeurd zou zijn.
'Een vriend van je,' zei meneer Eberhardt. 'Hij zegt dat jullie hadden afgesproken om te gaan skateboarden.'
'O.' Dat moest Garrett zijn. Roy was bijna duizelig van opluchting.
'Ja, dat is waar ook.'
'Maar lieverd, je hebt niet eens een skateboard,' merkte mevrouw Eberhardt op.
'Dat is geen probleem. Zijn vriend heeft er een extra meegebracht,' zei meneer Eberhardt.
Roy stond van tafel op en veegde haastig zijn mond af met een servet. 'Is het goed als ik ga?'
'Hè Roy, het is zondag,' protesteerde zijn moeder.
'Toe? Een uurtje maar.'
Hij wist dat zijn ouders ja zouden zeggen. Ze waren veel te blij dat hij vrienden kreeg op zijn nieuwe school.
Garrett zat op de stoep te wachten. Hij wilde meteen losbarsten, maar Roy gaf hem een teken dat hij zijn mond moest houden tot ze wat verder van huis waren. Zwijgend rolden ze over het trottoir

naar het einde van het blok, waar Garrett van zijn board sprong en riep: 'Dit geloof je nooit – Dana Matherson is gisteravond opgepakt!'

'Ga weg!' Roy probeerde verbaasder te lijken dan hij was. Er was dus bewaking op het terrein van Moeder Paula geweest, precies zoals hij had verwacht.

'De politie heeft vanochtend vroeg mijn moeder gebeld,' meldde Garrett. 'Hij probeerde in te breken in een bouwkeet om wat te stelen.'

Als schooldecaan op Trace Middle School werd Garretts moeder altijd op de hoogte gesteld wanneer een leerling met de politie te maken kreeg.

Garrett ging verder: 'En het mooiste komt nog, man – Dana zei tegen hen dat hij *jou* was!'

'O, leuk.'

'Wat een eikel, hè?'

'En ze zullen hem wel geloofd hebben ook,' zei Roy.

'Nog geen seconde.'

'Was hij alleen?' vroeg Roy. 'Zijn er nog meer mensen gearresteerd?' De stiefbroer van Beatrice Leep of zo, bedoelde hij.

'Nee. Alleen hij,' zei Garrett, 'en raad eens – hij heeft een strafblad!'

'Een strafblad?'

'Ja, joh. Dana is al vaker opgepakt, dat hebben die agenten aan mijn moeder verteld.'

Ook daar keek Roy niet echt van op. 'Opgepakt waarvoor?'

'Winkeldiefstal, frisautomaten openbreken – dat soort dingen,' zei Garrett. 'Eén keer heeft hij zelfs een vrouw neergeslagen en haar tasje gejat. Ik moest van mijn moeder beloven dat ik het niet zou doorvertellen. Het moet eigenlijk geheim blijven omdat Dana nog minderjarig is.'

'Natuurlijk,' zei Roy sarcastisch. 'Stel je voor dat zijn goede reputatie verpest wordt.'

'Zoiets. Hé, jij zou een gat in de lucht moeten springen.'

'O ja? Hoezo?'

'Omdat ze hem volgens mijn moeder dit keer zullen opsluiten.'

'In een jeugdinrichting?'

'Absoluut,' zei Garrett, 'vanwege zijn strafblad.'

'Wauw,' zei Roy zachtjes.

Hij was niet in de stemming om een gat in de lucht te springen, al kon hij niet ontkennen dat hij zich bevrijd voelde. Hij was het zat Dana Mathersons boksbal te zijn.

En hoewel hij zich schuldig voelde omdat hij dat nepverhaal over die sigaretten verzonnen had, kon hij zich ook niet aan de gedachte onttrekken dat de samenleving een dienst werd bewezen als Dana achter de tralies werd gezet. Hij was een rotjoch. Een tijdje in een jeugdinrichting zou hem misschien goed doen.

'Hé, zullen we naar het skatepark gaan?' vroeg Garrett.

'Oké.'

Roy stapte op zijn geleende skateboard en zette hard af met zijn rechtervoet. De hele weg naar het park keek hij niet één keer over zijn schouder om te zien of er iemand achter hem aan zat.

Het voelde goed, precies zoals een zondag hoorde te voelen.

Curly werd wakker in zijn eigen bed, en waarom ook niet? De vandaal van Moeder Paula zat eindelijk vast en daarom was er geen enkele reden 's nachts in de keet op wacht te blijven.

Nadat agent Delinko hem een lift naar huis had gegeven, had Curly zijn vrouw en zijn schoonmoeder op een uitvoerig verslag van de opwindende gebeurtenissen getrakteerd. Om het wat spannender te maken had hij enkele details verfraaid.

Zo had in zijn versie van het verhaal de norse jonge indringer hem buiten gevecht gesteld met een deskundig gerichte karatetrap (wat een stuk ernstiger klonk dan aarde in je gezicht gegooid krijgen). Ook besloot hij dat hij er niet bij hoefde te vertellen dat hij in een uilenhol was gestapt en languit was gegaan. Nee, hij beschreef de jacht als een ademloze nek-aan-neksprint. De rol die agent Delinko bij de vangst van de voortvluchtige crimineel had gespeeld, werd voor het gemak geminimaliseerd.

Curly's verslag van zijn optreden ging er thuis in als koek, zodat hij er alle vertrouwen in had dat Chuck Muckle het ook zou geloven. Maandagochtend zou hij meteen het hoofdkantoor van Moeder Paula bellen om de directeur alle details te geven van de arrestatie en van zijn eigen heldhaftige optreden. Hij kon haast niet wachten tot hij meneer Muckle een felicitatie uit zijn strot hoorde wringen.

Na de lunch wilde Curly naar een wedstrijd kijken. Hij had zich nog niet voor de tv geïnstalleerd of er kwam een reclame voor Moeder Paula op, met de aanbieding van dat weekend: voor $ 6,95 zoveel pannenkoeken als je op kon, plus een gratis worstje en koffie.

Toen hij Kimberly Lou Dixon in de rol van Moeder Paula zag, moest Curly weer aan die belabberde film denken die hij gehuurd had, *Het laatste huis aan Witch Boulevard III*. Hij kon zich niet herinneren wanneer die bij de Blockbuster terug moest zijn, die middag of de volgende dag. Omdat hij er een hekel aan had boete te betalen voor te laat teruggebrachte videobanden, besloot hij naar de bouwkeet te rijden om de band te halen.

Onderweg bedacht hij tot zijn schrik dat hij nog iets op het bouwterrein had laten liggen: zijn revolver!

In de opschudding van de vorige avond was hij op de een of andere manier zijn revolver uit het oog verloren. Hij kon zich niet herinneren dat hij hem bij zich had toen hij bij agent Delinko in de auto zat, dus hij moest uit zijn riem zijn geglipt tijdens het handgemeen met dat joch, voor de bouwkeet. Een andere mogelijkheid was dat hij hem had laten vallen toen hij in dat verrekte uilenhol trapte.

Een geladen wapen kwijtraken was een ernstige zaak en Curly was verschrikkelijk nijdig op zichzelf. Toen hij het omheinde terrein bereikte liep hij haastig naar de plek waar hij met de tiener had geworsteld. Er was geen .38 te bekennen.

Ongerust liep hij naar de plaats waar het bewuste uilenhol was en liet zijn zaklamp in het gat schijnen. Geen revolver.

Nu werd hij pas echt ongerust. Hij keek in de bouwkeet en zag dat niemand sinds de vorige avond ergens aan gezeten had. De deur was te zeer beschadigd om er weer ingezet te worden en daarom timmerde hij de opening dicht met twee platen triplex.

Daarna begon hij methodisch te zoeken, heen en weer over het terrein, zijn ogen strak op de grond gericht. In zijn ene hand had hij een zware steen, voor het geval dat hij nog een van die giftige watermoccasins zou tegenkomen.

Langzaam maar zeker sijpelde er een beangstigende gedachte zijn hoofd binnen, een gedachte waar hij ijskoud van werd. stel dat die jonge inbreker de revolver uit zijn riem had gepikt terwijl ze aan het vechten waren? Dat joch kon hem in een afvalcontainer hebben verborgen of tussen de struiken hebben gegooid toen hij wegrende.

Curly huiverde en zette zijn speurtocht voort. Na ongeveer een halfuur had hij de plek bereikt waar de graafmachines klaarstonden om de grond bouwrijp te maken.

Intussen had hij de hoop zijn revolver terug te vinden al bijna opgegeven. Hij was al een heel eind verwijderd van de plaats waar hij hem in elk geval nog had gehad – en in tegengestelde richting van waar de vandaal heen was gevlucht. Het leek Curly volslagen onmogelijk dat de .38 zo ver van de bouwkeet kon opduiken, tenzij een uitzonderlijk grote uil hem had opgeraapt en daarheen gedragen.

Zijn blik werd getrokken door een ondiepe indruk in een stukje zacht zand: de afdruk van een blote voet, duidelijk van een mens. Voor alle zekerheid telde hij de tenen.

De voet leek een heel stuk kleiner dan die van Curly en ook kleiner dan die van de forsgebouwde jonge inbreker.

Een eind verder kwam hij nog een voetafdruk tegen – en toen nog een, en nog een. De sporen leidden rechtstreeks naar de rij graafmachines, en Curly liep er met een groeiend gevoel van onbehagen op af.

Hij bleef voor een bulldozer staan en beschutte zijn ogen tegen het zonlicht. Eerst zag hij niet dat er iets mis was, maar toen trof het hem alsof hij een trap van een muilezel kreeg.

De stoel voor de bestuurder was weg!

Hij liet de steen vallen die hij als bescherming bij zich droeg en rende naar de volgende machine in de rij, een graver. Ook daaruit was de bestuurdersstoel verdwenen.

Over zijn toeren beende Curly naar het derde en laatste werktuig, een nivelleerder. Alweer geen bestuurdersstoel.

Hij vloekte. Zonder stoelen waren de machines in feite onbruikbaar. De bestuurders moesten kunnen zitten om de voetpedalen te bedienen en tegelijkertijd te sturen.

De hersenen van de voorman werkten koortsachtig. Of het joch dat ze de vorige avond te pakken hadden gekregen had een geheime medeplichtige, of iemand anders was het terrein opgeslopen nadat Curly vertrokken was.

Maar wie? vroeg hij zich geërgerd af. Wie heeft mijn uitrusting gesaboteerd, en wanneer?

Zonder succes zocht hij naar de verdwenen stoelen en zijn humeur werd van minuut tot minuut slechter. Hij verheugde zich niet meer op het telefoontje naar meneer Muckle op het hoofdkantoor van Moeder Paula; nu zag hij er zelfs als een berg tegenop. Hij vermoedde dat de chagrijnige directeur hem met veel plezier telefonisch zou ontslaan.

In wanhoop liep hij naar de mobiele wc's. Omdat hij bij de lunch bijna een hele kan ijsthee had gedronken, had hij nu een gevoel of zijn buik op springen stond. De stress van de situatie maakte het er ook niet beter op.

Gewapend met zijn zaklamp ging hij een van de pleemobielen binnen. De deur liet hij op een kier staan, voor het geval dat een haastige aftocht nodig was. Hij wilde zeker weten dat er niet weer iemand nijdige reptielen in het toilet had verstopt.

Voorzichtig liet hij zijn zaklamp in het donkere gat van de toiletpot schijnen. Hij hapte naar adem toen de straal iets glimmends en zwarts in het water verlichtte, maar bij nadere inspectie zag hij dat het geen alligator was.

'Geweldig,' mompelde hij ongelukkig. 'Echt geweldig.'

Het was zijn revolver.

Roy popelde om naar het autokerkhof te weg te glippen en Harderhand op te zoeken. Hij wilde weten wat er de vorige avond op het terrein van Moeder Paula was gebeurd.

Het probleem was Roys moeder. Zodra hij terug was van het skateboardpark deed zij een beroep op de zondagsregel en werd er een gezinsuitstapje gepland. Roys vader kwam zijn belofte na en nam hen mee naar een indiaanse toeristenwinkel aan het Tamiamipad, waar je tochten met een luchtboot door de Everglades kon maken.

Roy genoot volop, al was het lawaai zo erg dat zijn oren er pijn van deden. De lange Seminole die de luchtboot bestuurde droeg een strooien cowboyhoed. Hij zei dat de motor van hetzelfde type was als de motor die in kleine vliegtuigjes werd gebruikt.

Roys ogen traanden van de sterke wind toen de platbodem over de zeegrasvlakten vloog en door de smalle kronkelende kreken zigzagde. Het was nog spannender dan een achtbaan. Onderweg stopten ze om te kijken naar slangen, kikkers, kameleons, wasberen, opossums, schildpadden, eenden, reigers, twee Amerikaanse zeearenden, een otter en (volgens Roys telling) negentien alligators. Zijn vader zette bijna alles op video, terwijl zijn moeder foto's nam met haar nieuwe digitale camera.

Hoewel de luchtboot heel snel ging leek het tijdens de vaart over de ondiepten of ze over zijde gleden. Weer stond Roy versteld van de immense vlakheid van het gebied, de schitterende vergezichten en de exotische rijkdom aan leven. Zodra je maar uit de buurt was van al die miljoenen mensen was Florida net zo wild als Montana.

Toen hij die avond in bed lag voelde Roy zich sterker verwant met Harderhand en had hij meer begrip gekregen voor de kruistocht die de jongen in zijn eentje tegen het pannenkoekenhuis voerde. Het ging niet alleen maar om de uilen, het ging om alles – alle vogels en dieren, alle ongerepte plekken die weggevaagd dreigden te worden. Geen wonder dat de jongen kwaad was, dacht Roy, en geen wonder dat hij zo vastbesloten was.

Toen zijn ouders binnenkwamen om welterusten te zeggen zei hij dat hij dit uitstapje naar de Everglades nooit zou vergeten, en zo was het ook. Zijn vader en moeder waren nog altijd zijn beste vrienden en je kon veel plezier met hen hebben. Roy wist dat het voor hen ook niet gemakkelijk was, steeds maar weer inpakken en verhuizen. De Eberhardts waren een team, een eenheid.

'Toen we weg waren heeft agent Delinko een bericht op het antwoordapparaat achtergelaten,' zei Roys vader. 'Gisteravond heeft hij een verdachte gearresteerd in verband met het vandalisme op het bouwterrein.'

Roy zei niets.

'Maak je maar geen zorgen,' ging meneer Eberhardt verder. 'Het was niet die jongeman waarover je me verteld hebt, die er uit het ziekenhuis vandoor is gegaan.'

'Het was die jongen Matherson,' viel mevrouw Eberhardt hem opgewonden in de rede, 'die jou in de bus aanviel. En hij probeerde de politie wijs te maken dat hij jou was!'

Roy kon niet doen alsof hij het nog niet wist. 'Ik had het al van Garrett gehoord,' bekende hij.

'Echt waar? Dan moet Garrett dat van een insider hebben,' merkte zijn vader op.

'Dat klopt,' zei Roy. 'Wat had die agent nog meer te melden?'

'Dat was het wel zo'n beetje. Ik kreeg de indruk dat hij wilde dat ik jou vroeg of je iets van het gebeurde afwist.'

'Ik?' vroeg Roy.

'Kom nou, dat is belachelijk,' kwam zijn moeder ertussen. 'Hoe kan Roy nu weten wat een vandaal als Dana Matherson in zijn schild voert?'

Roys mond was kurkdroog. Hoe goed hij ook met zijn ouders overweg kon, hij was niet van plan hun te vertellen dat hij zijn broek had laten zakken voor Dana, hem naar het terrein van Moeder Paula had gelokt en toen een verhaal had opgehangen over sigaretten die in de keet verborgen lagen.

'Het is wel een vreemd toeval,' zei meneer Eberhardt, 'twee verschillende jongens die het op dezelfde plek gemunt hebben. Is het mogelijk dat die jongen Matherson samen deed met jouw vriend, die broer van Beatrice –'

'Nooit van zijn leven,' onderbrak Roy hem resoluut. 'Dana geeft niks om de uilen. Hij geeft nergens om, behalve om zichzelf.'

'Natuurlijk niet,' zei zijn moeder.

Toen zijn ouders de slaapkamerdeur achter zich dichttrokken, zei Roy: 'Hé, pap?'

'Ja?'

'Weet je nog dat je zei dat die pannenkoekenmensen op dat land konden doen wat ze wilden als ze de juiste vergunningen hadden en zo?'

'Dat klopt.'

'Hoe kan ik zoiets controleren?' vroeg Roy. 'Om zeker te weten dat het allemaal legaal is, bedoel ik.'

'Ik denk dat je de afdeling bouwzaken in het gemeentehuis zou moeten bellen.'

'De afdeling bouwzaken. Oké, bedankt.'

Toen de deur dicht was, hoorde Roy zijn ouders zachtjes praten in de gang. Hij kon niet verstaan wat ze zeiden en daarom trok hij de dekens op tot aan zijn nek en draaide zich om. Meteen doezelde hij weg.

Niet veel later fluisterde iemand zijn naam. Roy nam aan dat hij al droomde.

Toen hoorde hij het weer, en dit keer leek de stem zo echt dat hij overeind ging zitten. Het enige geluid in de slaapkamer was zijn eigen ademhaling.

Geweldig, dacht hij, nu verbeeld ik me al dingen.

Hij ging weer liggen en tuurde naar het plafond.

'Roy?'

Hij bleef stokstijf onder de dekens liggen.

'Niet schrikken, Roy.'

Maar dat deed hij nu juist wel. De stem kwam van onder zijn bed.

'Ik ben het, Roy.'

'*Welke* ik?'

Hij ademde snel en heftig en zijn hart bonsde als een grote trom. Hij kon de aanwezigheid voelen van iemand anders onder hem in het donker, onder de matras.

'Ik ben het, Beatrice. Hou je kalm, man.'

'Wat doe jij hier?'

'Sst. Niet zo hard.'

Roy hoorde haar onder het bed vandaan schuiven. Zachtjes kwam ze overeind en liep naar het raam. Er was net genoeg maan om haar blonde krullen te laten oplichten en haar brillenglazen te laten spiegelen.

'Hoe ben je ons huis ingekomen?' Roy deed zijn best om zacht te praten, maar hij was te hevig van slag. 'Hoe lang lig je hier al verstopt?'

'De hele middag,' zei Beatrice, 'terwijl jullie weg waren.'

'Je hebt ingebroken!'

'Rustig maar, koeienkop. Ik heb geen ruiten ingeslagen of zo. De schuifdeur naar de veranda kwam zo uit de rail – dat doen ze allemaal,' zei Beatrice zakelijk.

Roy sprong tussen de lakens uit, deed zijn deur op slot en klikte zijn bureaulamp aan.

'Ben jij nou helemaal geschift?' beet hij haar toe. 'Heb je bij de voetbaltraining een schop tegen je hoofd gekregen of zo?'

'Sorry, het spijt me echt,' zei Beatrice. 'Maar eh… het werd thuis allemaal een beetje link. Ik wist niet waar ik anders heen moest.'

'O.' Roy had meteen spijt dat hij zijn geduld had verloren. 'Kwam het door Lonna?'

Beatrice knikte somber. 'Ik denk dat ze van haar bezem was gevallen of zoiets.'

'Wat rottig.'

'Ja, zij en mijn vader hadden een ontzettende ruzie. En dan bedoel ik ook ontzettend. Ze gooide hem een wekkerradio naar zijn hoofd en toen bekogelde hij haar met een mango.'

Roy had altijd gedacht dat Beatrice Leep nergens bang voor was, maar nu zag ze er niet zo onbevreesd uit. Hij had medelijden met haar – het was moeilijk je voor te stellen dat je in een huis woonde waar de volwassenen zich zo idioot gedroegen.

'Je mag vannacht wel hier blijven,' bood hij aan.

'Serieus?'

'Zolang mijn ouders er maar niet achter komen.'

'Jij bent best cool, Roy,' zei Beatrice.

Hij grinnikte. 'Bedankt dat je me Roy noemt.'

'Bedankt dat je me hier laat slapen.'

'Neem jij het bed maar,' zei hij. 'Ik slaap wel op de grond.'

'Vergeet het!'

Roy protesteerde niet. Hij gaf Beatrice een kussen en een deken, en ze ging tevreden op het vloerkleed liggen.

Hij deed het licht uit en wenste haar welterusten. Toen bedacht hij iets wat hij haar nog had willen vragen. 'Hé, heb jij Harderhand vandaag nog gezien?'

'Misschien.'

'Want hij had me verteld dat hij gisteravond iets van plan was.'

'Hij is *altijd* iets van plan.'

'Ja, maar daar kan hij niet eeuwig mee doorgaan,' zei Roy. 'Vroeg of laat wordt hij gepakt.'

'Ik geloof dat hij slim genoeg is om dat te beseffen.'

'Dan moeten we iets doen.'

'Wat dan?' vroeg Beatrice vaag. Ze was bezig in slaap te vallen. 'Je kunt hem niet tegenhouden, Roy. Daarvoor is hij een veel te grote stijfkop.'

'Dan moeten we hem maar helpen, denk ik.'

'Wat?'

'Trusten, Beatrice.'

ZEVENTIEN

Curly staarde ingespannen naar de telefoon, alsof hij hem zo kon laten ophouden met rinkelen. Ten slotte vermande hij zich en nam op.

Het was Chuck Muckle. Natuurlijk.

'Hoor ik het geluid van bulldozers, meneer Branitt?'

'Nee, meneer.'

'Waarom niet? Hier in het mooie Memphis, Tennessee, is het maandagmorgen. Is het in Florida geen maandagmorgen?'

'Ik heb goed nieuws,' zei Curly, 'en ik heb slecht nieuws.'

'En het goede nieuws is dat u ergens anders werk hebt gevonden?'

'Laat me alsjeblieft even uitpraten.'

'Goed, hoor,' zei Chuck Muckle, 'terwijl u uw bureau ontruimt.'

Haastig gaf Curly zijn versie van wat er die zaterdagavond was gebeurd. Het stuk over de verdwenen bulldozerstoeltjes bedierf de rest van het verhaal nogal. Omdat hij het niet allemaal nog erger wilde maken vertelde hij er niet bij dat zijn revolver op de een of andere manier in een van de mobiele wc's was opgedoken.

Doffe stilte aan de Memphiskant van het gesprek. Curly vroeg zich af of de directeur public relations had opgehangen.

'Hallo?' zei hij. 'Bent u er nog?'

'Reken maar,' antwoordde Chuck Muckle vinnig. 'Even alles op een rijtje, meneer Branitt. Er is een jongeman gearresteerd voor poging tot inbraak op ons terrein –'

'Precies. En ook nog geweldpleging en wederrechtelijk betreden!'

'– maar toen, op dezelfde avond, zijn door een andere onbekende

183

persoon of personen de stoelen uit de bulldozers en gravers en weet-ik-veels gehaald.'

'Ja, meneer. Dat is dus het niet-zo-goede nieuws.'

'Hebt u die diefstal aan de politie gemeld?'

'Natuurlijk niet. Ik wou niet dat het in de krant kwam.'

'Misschien is er toch nog hoop voor u,' zei Chuck Muckle. Hij informeerde of het mogelijk was de machines te bedienen zonder bestuurdersstoelen.

'Alleen als je een inktvis bent of zoiets.'

'Dan heb ik dus gelijk als ik ervan uitga dat er vandaag niet gegraven wordt.'

'En morgen ook niet,' meldde Curly somber. 'Ik heb nieuwe stoelen besteld bij de groothandel in Sarasota, maar die komen woensdag pas.'

'Wat een gelukkig toeval,' zei Chuck Muckle. 'Dat blijkt ook de laatste dag te zijn dat mevrouw Kimberly Lou Dixon beschikbaar is. De opnamen van haar gemuteerde-insectenfilm beginnen volgend weekend in New Mexico.'

Curly slikte. 'U wilt de feestelijke bijeenkomst voor het officiële begin van de bouw deze woensdag houden? Wanneer moet de grond dan bouwrijp gemaakt worden?'

'Verandering van plan. Geef Hollywood maar de schuld,' zei Chuck Muckle. 'We beginnen met de plechtigheid, en zodra iedereen weg is kunt u de machines starten – aangenomen dat ze tegen die tijd niet tot op de assen gesloopt zijn.'

'Maar eh… woensdag is al overmorgen!'

'Geen paniek, meneer Branitt. We regelen alle details van hieruit – de advertenties, de persberichten, enzovoort. Ik neem contact op met het kantoor van de burgemeester en de kamer van koophandel. Uw werk ondertussen is ongelooflijk simpel – niet dat u geen manier zult bedenken om het te verknoeien.'

'Wat dan?'

'Het enige dat u hoeft te doen is het bouwterrein de komende achtenveertig uur afgesloten te houden. Denkt u dat u dat aankunt?'

'Jazeker,' zei Curly.

'Geen alligators meer, geen giftige slangen meer, geen diefstal meer,' zei Chuck Muckle. 'Geen problemen meer, punt uit. Begrepen?'

'Ik heb nog even een vraagje over de uilen.'

'Welke uilen?' reageerde Chuck Muckle. 'Die holen zijn verlaten, weet u nog?'

Dan vermoed ik dat iemand vergeten is dat aan de vogels te vertellen, dacht Curly.

'Er bestaat geen wet tegen het vernietigen van verlaten holen,' zei de directeur. 'Als iemand ernaar vraagt, is dat uw antwoord. "De holen zijn verlaten."'

'Maar stel dat een van die uilen zich vertoont?' vroeg Curly.

'Welke uilen?' Chuck Muckle schreeuwde zo ongeveer. 'Er zijn geen uilen op dat terrein, en waag het niet dat te vergeten, meneer Branitt. Nul uilen. Zero. Als iemand er eentje ziet zegt u maar dat het een – ik weet niet, een roodborstje is, of een wilde kip of zo.'

Een kip? dacht Curly.

'Tussen haakjes,' zei Chuck Muckle, 'ik kom naar Coconut Cove vliegen zodat ik de beeldschone mevrouw Dixon persoonlijk naar de plechtigheid kan vergezellen. Laten we maar bidden dat u en ik niets meer te bespreken hebben als ik arriveer.'

'Maak u maar geen zorgen,' zei Curly, al deed hij zelf niet veel anders dan zich zorgen maken.

Beatrice Leep was weg toen Roy wakker werd. Hij had geen idee hoe ze onopgemerkt het huis uit was geglipt, maar hij was blij dat het haar gelukt was.

Onder het ontbijt las zijn vader het korte verslag in de krant over de arrestatie van Dana Matherson hardop voor. De kop luidde:

'Jonge plaatsgenoot betrapt bij poging tot inbraak.'

Omdat Dana nog geen achttien was, mochten de autoriteiten zijn naam niet vrijgeven aan de media – iets waarover Roys moeder zich nogal opwond omdat zij van mening was dat Dana's foto breeduit op de voorpagina had moeten staan. Hij werd in het artikel omschreven als een leerling van Trace Middle en er stond bij dat de politie hem als verdachte beschouwde in verband met een aantal recente daden van vandalisme. Moeder Paula werd niet met zoveel woorden als doelwit genoemd.

Op school had iedereen het over Dana's arrestatie. Veel leerlingen wisten wel dat hij de pik op Roy had gehad en daarom waren ze benieuwd naar zijn reactie op het nieuws dat zijn kwelgeest door de politie was opgepakt.

Roy keek er wel voor uit leedvermaak te tonen of er grapjes over te maken, of de aandacht op zichzelf te richten. Als Dana zijn mond opendeed over die zogenaamde verstopte sigaretten, zou hij wel eens kunnen proberen Roy de schuld te geven van de mislukte inbraak. De politie had geen enkele reden om iets te geloven wat de jongen zei, maar Roy nam geen enkel risico.

Zodra de bel het einde van de dagopening aankondigde nam Garrett hem apart om hem een vreemd nieuw detail te vertellen.

'Rattenvallen,' zei hij, zijn mond afschermend met zijn hand.

'Waar heb je het over?' vroeg Roy.

'Toen ze hem oppakten had hij rattenvallen aan zijn schoenen hangen. Daardoor kon hij niet wegrennen.'

'Maak het nou.'

'Serieus, man. De agenten zeiden tegen mijn moeder dat hij erop was gaan staan toen hij om die bouwkeet heen sloop.'

Dana kennende kon Roy het zich nog voorstellen ook.

'Drie gebroken tenen heeft hij.'

'Ach, kom nou.'

'Echt waar! Het gaat om *gigantische* rattenvallen.'

Garrett hield zijn handen wel dertig centimeter uit elkaar om het aan te geven.

'Het zal wel.' Roy wist dat Garrett berucht was om zijn overdrijving. 'Heeft de politie je moeder nog meer verteld?'

'Zoals?'

'Zoals waar Dana op uit was.'

'Peuken, zei hij zelf, maar de politie gelooft hem niet.'

'Wie wel?' zei Roy terwijl hij zijn schooltas op zijn schouder hees. De hele ochtend keek hij tussen de lessen door uit naar Beatrice Leep, maar hij zag haar niet één keer in de gang. Tussen de middag zaten de meisjes van het voetbalteam in de kantine bij elkaar, maar Beatrice was er niet bij. Roy liep naar hun tafel toe om te vragen of iemand wist waar ze was.

'Bij de tandarts,' zei een van haar teamgenoten, een slungelig Cubaans meisje. 'Ze is thuis van de trap gevallen en toen is er een tand afgebroken. Maar voor de wedstrijd vanavond is ze er wel weer.'

'Gelukkig,' zei Roy, maar wat hij te horen had gekregen zat hem niet erg lekker.

Beatrice was zo'n fenomenale atleet dat hij zich niet kon indenken dat ze als de eerste de beste stijve hark van de trap viel. En sinds hij had gezien wat ze een fietsband kon aandoen, kon hij zich ook niet voorstellen dat er een stuk van haar tand afbrak.

Hij was nog steeds met zijn gedachten bij Beatrice toen hij ging zitten voor de geschiedenisles. Hij merkte dat het hem veel moeite kostte zich op meneer Ryans proefwerk te concentreren, hoewel het helemaal niet zo moeilijk was.

De laatste vraag was dezelfde die meneer Ryan hem die vrijdag in de gang had gesteld: wie won de slag op het Eriemeer? Zonder aarzelen schreef Roy: 'Commodore Oliver Perry.' Het was het enige antwoord waarvan hij zeker wist dat hij het goed had.

In de bus naar huis hield hij achterdochtig Dana Mathersons lompe vrienden in het oog, maar ze keken niet één keer in zijn richting. Of Dana had niets losgelaten over wat Roy had gedaan, of het interesseerde zijn vrienden niet zo erg.

De commandant zat het arrestatieverslag te lezen toen agent Delinko en de brigadier binnenkwamen. Hij maakte een gebaar dat de beide mannen moesten gaan zitten.

'Goed werk,' zei hij tegen agent Delinko. 'Je hebt mijn leven er een heel stuk gemakkelijker op gemaakt. Ik heb net raadslid Grandy aan de telefoon gehad en die springt een gat in de lucht.'

'Daar ben ik blij om, meneer,' zei agent Delinko.

'Wat ben je wijzer geworden van die jongen Matherson? Wat heeft hij verteld?'

'Niet veel.'

Het verhoor van Dana Matherson was niet zo gladjes verlopen als agent Delinko had gehoopt. In de trainingsfilms stortten de verdachten altijd in en bekenden hun misdaden. Dana was echter koppig blijven weigeren om mee te werken, en als hij iets zei viel er geen touw aan vast te knopen.

Eerst had hij gezegd dat hij op het terrein van Moeder Paula rondsnuffelde om een lading Gladiator-sigaretten te pikken. Nadat hij met een advocaat had gesproken had hij zijn verhaal opeens veranderd. Hij beweerde dat hij eigenlijk naar de bouwkeet was gegaan om een sigaret te bietsen, maar de voorman zag hem voor een inbreker aan en kwam achter hem aan met een revolver.

'Matherson is een lastig geval,' zei agent Delinko tegen de commandant.

'Nou en of,' zei de brigadier, 'hij heeft het allemaal al een paar keer eerder bij de hand gehad.'

De commandant knikte. 'Ik heb zijn strafblad gezien. Maar wat mij dwarszit: dat joch is een dief, geen grappenmaker. Ik zie hem nog

geen alligators in mobiele wc's gooien. Eerder mobiele wc's *stelen*.'
'Daar heb ik me ook al over verbaasd,' zei agent Delinko.

De vandaal op het terrein van Moeder Paula had blijk gegeven van een duister gevoel voor humor dat niet paste bij het dommige criminele verleden van de jongen Matherson. Van hem zou je eerder verwachten dat hij de wieldoppen van een patrouillewagen stripte dan dat hij de voorruit zwart zou verven of zijn shirt als vaantje aan de antenne zou hangen.

'Wat is zijn motief voor die geintjes?' vroeg de commandant zich hardop af.

'Ik heb hem gevraagd of hij iets tegen Moeder Paula's pannenkoeken had,' zei agent Delinko, 'en toen zei hij dat die van ihop beter waren.'

'Dat is het? Hij vindt ihop-pannenkoeken lekkerder?'

'Behalve die van boekweit,' meldde agent Delinko. 'Over Moeder Paula's boekweitpannenkoeken was hij wel te spreken.'

Knorrig kwam de brigadier ertussen: 'Ach, dat jong neemt gewoon een loopje met ons.'

De commandant schoof langzaam zijn stoel achteruit. Hij voelde weer een enorme hoofdpijn opkomen.

'Goed, ik neem nu een beleidsbeslissing,' zei hij. 'Gezien het feit dat we niets beters hebben ben ik van plan commissaris Deacon te vertellen dat de vandaal van Moeder Paula is opgepakt. Zaak gesloten.'

Agent Delinko schraapte zijn keel. 'Ik heb op de plaats delict een stuk van een shirt gevonden, meneer – een shirt dat veel te klein is om die jongen Matherson te passen.'

Hij zei er niet bij dat het restant van het shirt pesterig aan de antenne van zijn patrouillewagen was geknoopt.

'We moeten meer hebben dan een lap stof,' gromde de commandant. 'Een warm lijf moeten we hebben, en het enige dat we hebben zit in de cel. Dus officieel is hij onze dader, begrepen?'

Agent Delinko en zijn brigadier stemden er in koor mee in.

'Daarmee steek ik mijn nek uit, dus jullie weten wat dat betekent,' zei de commandant. 'Als er nog iets gebeurt op dat terrein sta ik volkomen voor aap. En als ik volkomen voor aap kom te staan krijgen bepaalde mensen hier in de buurt de rest van hun loop- baan niets anders meer te doen dan parkeermeters legen. Ben ik duidelijk zo?'

Weer zeiden agent Delinko en zijn brigadier ja.

'Uitstekend,' zei de commandant. 'Dus wat jullie in feite te doen staat is ervoor zorgen dat er tussen nu en het officiële begin van de bouw aanstaande woensdag geen verrassingen meer komen.'

'Geen probleem.' De brigadier stond op. 'Kunnen we David het goede nieuws vertellen?'

'Hoe eerder hoe beter,' zei de commandant. 'Agent Delinko, je gaat de straat weer op, met ingang van dit moment. Bovendien heeft de brigadier een brief geschreven met lof voor het uitstekende werk dat je hebt verricht door onze verdachte op te pakken. Die komt in je permanente dossier.'

Agent Delinko straalde. 'Dank u wel, meneer!'

'Dat is nog niet alles. Vanwege je ervaring in deze zaak schakel ik jou in voor een speciale patrouilledienst bij het bouwterrein van Moeder Paula. Twaalf uur dienst, twaalf uur vrij, te beginnen van- avond bij zonsondergang. Kun je dat aan?'

'Vast en zeker, meneer.'

'Ga dan nu maar naar huis om wat te slapen,' raadde de com- mandant hem aan, 'want als je daarginds weer in slaap valt schrijf ik een veel kortere brief voor in je dossier. Een ontslagbrief.'

Toen ze buiten de kamer van de commandant stonden gaf de bri- gadier agent Delinko een stevige klap op zijn rug. 'Twee nachten en dan zijn we ervan af, David. Ben je er klaar voor?'

'Eén vraag, meneer. Doe ik die patrouille in mijn eentje?'

'Tsja, we zitten op het moment nogal krap in de nachtploeg,' zei de brigadier. 'Kirby is door een wesp gestoken en Miller zit thuis met voorhoofdsholteontsteking. Het ziet ernaar uit dat je in je eentje moet rondrijden.'

'Dat is best,' zei agent Delinko, hoewel hij gezien de omstandigheden liever een partner had gehad. Waarschijnlijk zou Curly wel in de keet blijven slapen, al was hij geen al te best gezelschap.

'Drink je koffie, David?'

'Ja, meneer.'

'Mooi. Drink dan maar twee keer zoveel als anders,' zei de brigadier. 'Ik verwacht niet dat er iets gebeurt, maar als dat wel zo is kun je maar beter klaarwakker zijn.'

Op weg naar huis stopte agent Delinko bij een souvenirwinkel aan de hoofdstraat. Daarna reed hij langs het Huis van Bewaring voor Jongeren om het nog één keer bij Dana Matherson te proberen. Het zou zo'n opluchting zijn als de jongen iets van de eerdere wandaden bekende, al was het er maar één.

Dana werd naar de spreekkamer gebracht door een bewaker in uniform, die buiten voor de deur bleef staan. De jongen had een kreukelige grijze overal aan met het woord GEVANGENE in hoofdletters op de rug. Hij was op sokken omdat zijn tenen nog steeds dik waren van de rattenvallen. Agent Delinko bood hem een reepje kauwgom aan, dat de jongen in zijn mond propte.

'Goed, jongeman, je hebt nu een poosje kunnen nadenken.'

'Waarover?' Dana blies een bel en liet hem klappen.

'Dat weet je best. Over je situatie.'

'Ik hoef niet na te denken,' zei de jongen. 'Daar heb ik een advocaat voor.'

Agent Delinko leunde naar voren. 'Vergeet die advocaten maar, oké? Ik zal een goed woordje doen bij de rechter als jij me helpt een paar andere zaken op te helderen. Was jij degene die de ramen van mijn patrouillewagen heeft dichtgeverfd?'

De jongen snoof. 'Waarom zou ik zoiets stoms doen?'

'Kom op, Dana, ik kan alles wat makkelijker voor je maken. Je hoeft me alleen maar de waarheid te vertellen.'

'Ik weet iets beters,' zei de jongen. 'Je kan de pot op.'

Agent Delinko vouwde zijn armen over elkaar. 'Kijk, dat is nu precies het gebrek aan respect voor het gezag waaraan je het te danken hebt dat je hier zit.'

'Niks hoor, ik zal je eens vertellen waardoor ik hier zit. Dat heeft dat kleine onderkruipsel van een Roy Eberhardt op zijn geweten.'

'Daar gaan we weer,' zei agent Delinko. Hij stond op. 'We verspillen duidelijk onze tijd.'

Dana Matherson lachte smalend. 'Ja hoor.'

Hij wees naar het draagtasje dat de agent op tafel had gezet. 'Heb je eindelijk wat te roken voor me meegebracht?'

'Nee, maar wel iets anders.' Agent Delinko stak zijn hand in het tasje. 'Een vriendje om je gezelschap te houden,' zei hij, terwijl hij achteloos iets bij de jongen op schoot liet vallen.

Krijsend vloog Dana overeind en probeerde het van zich af te slaan, zo paniekerig dat hij zijn stoel omgooide. Hij sprong op van de vloer en maakte dat hij de deur uitkwam, waar de bewaker zijn gespierde hand om zijn arm klemde en hem wegbracht.

Agent Delinko bleef alleen achter en tuurde naar het voorwerp dat op de linoleumtegels lag – een ding met veel tanden, vol schubben en net echt, afgezien van het prijsstickertje ($ 3,95) dat op de snuit geplakt zat.

Het was een alligator van rubber, die hij in de souvenirwinkel had gekocht.

Dana Mathersons reactie op het onschuldige speelgoeddier overtuigde de agent ervan dat hij onmogelijk de vandaal van Moeder Paula kon zijn. Iemand die zo over zijn toeren raakte van een miezerig namaakbeestje was niet in staat een echte alligator vast te pakken, zeker niet in het angstaanjagende duister van een pleemobiel.

De echte schuldige liep nog ergens buiten rond, broedend op het volgende plan. Agent Delinko had twee lange, zenuwslopende nachten voor de boeg.

De familie Eberhardt had thuis een computer, die Roy mocht gebruiken voor huiswerk en om spelletjes snowboarden op te spelen.

Hij kon goed met internet omgaan en daarom lukte het hem zonder moeite volop informatie over de holenuil te verzamelen. De soort die in Florida voorkwam droeg bijvoorbeeld de Latijnse naam *Athene cunicularia floridana* en had donkerder veren dan de soort die in het westen van de Verenigde Staten voorkwam. Het was een schuwe kleine vogel, die net als andere uilen het actiefst was in het donker. Nesten werden gewoonlijk tussen februari en juli gemaakt, maar er waren tot in oktober jonge vogels in de holen gesignaleerd...

Systematisch liep Roy de zoekresultaten een voor een door tot hij ten slotte op de jackpot stuitte. Hij printte twee dichtbedrukte bladzijden uit, stopte ze in zijn rugzak en sprong op zijn fiets.

Het was maar een klein stukje naar het gemeentehuis van Coconut Cove. Roy zette zijn fiets op slot en volgde de bordjes naar de afdeling bouwzaken en bestemmingsplannen.

Achter de balie stond een bleke sproeterige man met smalle schouders. Toen de man geen aandacht aan hem schonk stapte Roy resoluut naar voren en vroeg om het dossier voor Moeder Paula's Oud-Amerikaanse Pannenkoekenhuis.

De ambtenaar leek geamuseerd. 'Heb je een officiële beschrijving?'

'Waarvan?'

'Van het perceel.'

'Natuurlijk. Het ligt op de hoek van East Oriole en Woodbury.'

'Dat is geen officiële beschrijving,' zei de ambtenaar. 'Het is niet eens een echt adres.'

'Sorry. Meer heb ik niet.'

'Is het voor een schoolproject?' vroeg de ambtenaar.

Waarom niet, dacht Roy. 'Ja,' antwoordde hij.

Hij zag niets verkeerds in een klein leugentje als het hielp om de uilen te redden.

De ambtenaar zei Roy te wachten terwijl hij de straatlocatie naging. Hij kwam naar de balie terug met een dik pak dossiers in zijn armen. 'Goed, welk hiervan wilde je zien?' vroeg hij een tikje spottend.

Roy staarde er verbijsterd naar. Hij had geen idee waar hij moest beginnen.

'Dat met alle bouwvergunningen?' vroeg hij.

De ambtenaar zocht de stapel door. Roy had het sombere voorgevoel dat de formulieren en documenten in zulke technische termen geschreven zouden zijn dat hij er toch niets van zou snappen. Alsof hij Portugees probeerde te lezen.

'Hmm. Dat dossier zit er niet bij,' zei de ambtenaar terwijl hij de mappen netjes op een stapel legde.

'Hoe bedoelt u?' vroeg Roy.

'Het dossier met alle vergunningen en inspectieverslagen – dat is vermoedelijk geleend.'

'Door wie?'

'Dat zou ik aan mijn supervisor moeten vragen,' zei de ambtenaar, 'en zij is al naar huis. Het kantoor sluit om halfvijf en het is al, even kijken, vier uur zevenentwintig.' Om dat te benadrukken tikte hij op het glas van zijn horloge.

'Oké, dan kom ik morgen wel terug,' zei Roy.

'Misschien kun je beter een ander onderwerp voor je project kiezen.' De beleefde toon van de man klonk niet erg gemeend.

Roy glimlachte koel. 'Nee, dank u. Zo gauw geef ik het niet op.'

Vanaf het gemeentehuis fietste hij naar een winkel waar ze aas verkochten, en van wat overgespaard lunchgeld kocht hij een doosje levende krekels. Een kwartier later sloop hij over het auto-kerkhof.

Harderhand was niet in de ijswagen, hoewel zijn verfrommelde slaapzak er nog lag. Roy wachtte een poosje binnen, maar zonder airco was het er ondraaglijk heet en broeierig. Het duurde niet lang of hij zat weer op zijn fiets en reed in de richting van East Oriole en Woodbury.

Het hek zat op slot; de norse, kale voorman was nergens te beken-nen. Roy liep langs de buitenkant van de omheining, op zoek naar Beatrices stiefbroer of naar leuke verrassingen die hij voor de pan-nenkoekenmensen achtergelaten zou kunnen hebben.

Hij zou niets ongewoons hebben opgemerkt als hij niet een van de uiltjes aan het schrikken had gemaakt. Het vloog op uit zijn hol en landde in de cabine van de bulldozer. Zo ontdekte Roy dat het stoeltje verdwenen was. Meteen controleerde hij de andere graaf-machines en zag dat daarmee hetzelfde aan de hand was.

Dus *dat* was de jongen die avond van plan geweest, dacht hij vro-lijk. Daarom zei hij dat ik een dopsleutel moest meebrengen.

Hij liep terug naar het hek, maakte het doosje krekels open en hield het tegen het gaas. Een voor een sprongen de krekels eruit, door de openingen in het gaas heen, en landden op de grond. Roy hoopte dat de uilen ze zouden vinden wanneer ze uit hun holen kwamen voor hun avondmaal.

Natuurlijk had hij beter kunnen vertrekken toen hij de eerste keer hoorde toeteren, maar dat deed hij niet. Hij bleef geduldig op zijn hurken zitten wachten tot de laatste krekel het doosje uit was.

Toen was het getoeter al aangezwollen tot een onafgebroken kabaal en kwam de blauwe pick-uptruck met piepende banden tot stilstand. Roy liet het doosje vallen en sprong op zijn fiets, maar het was al te laat. De truck versperde hem de weg.

De kale man sprong met een knalrood gezicht uit de cabine en greep de fiets bij het zadel vast, zodat Roy als een razende in het luchtledige trapte. Zijn voeten gingen zo snel dat ze nauwelijks te zien waren, maar hij kwam geen centimeter vooruit.

'Hoe heet jij? Wat voer je hier uit?' brulde de voorman. 'Dit is privé-terrein, weet je dat niet? Wil je naar de gevangenis, knul?'

Roy hield op met trappen en probeerde op adem te komen.

'Ik weet best wat je in je schild voert!' snauwde de kale man. 'Ik ken jouw stiekeme spelletjes.'

'Laat me alstublieft gaan, meneer,' zei Roy. 'Ik was alleen maar de uilen aan het voeren.'

Alle rood verdween van de wangen van de voorman.

'Welke uilen?' vroeg hij, niet erg hard. 'Er zijn hier geen uilen.'

'O jawel hoor,' zei Roy. 'Ik heb ze zelf gezien.'

De kale man leek nu bijzonder nerveus en geagiteerd. Hij hield zijn gezicht zo dichtbij dat Roy gebakken uien in zijn adem kon ruiken.

'Nou moet je eens goed naar me luisteren, jong. Jij hebt hier verdomme geen uilen gezien, oké? Wat jij hebt gezien, dat was een... een wilde kip!'

Roy probeerde niet te lachen. 'Dat zal wel.'

'Jazeker. Kijk, we hebben van die dwergkippen –'

'Meneer, wat ik gezien heb was een uil, en dat weet u best,' zei Roy, 'en *ik* weet waarom u zo bang bent.'

De voorman liet Roys fiets los.

'Ik ben niet bang,' zei hij ijzig, 'en jij hebt niks geen uilen gezien. En nou wegwezen en niet meer terugkomen, tenzij je naar de gevangenis wilt, net als de vorige jongen die ik hier betrapt heb.'

Roy stuurde zijn fiets zorgvuldig om de truck heen en reed toen in volle vaart weg.

'Het waren kippen!' brulde de kale man hem achterna.

'Uilen!' riep Roy triomfantelijk.

Omhoog, omhoog fietste hij, tegen de steile berghelling op – in zijn verbeelding tenminste. Dat gaf hem de kracht om zo hard te trappen.

In werkelijkheid reed hij over East Oriole Avenue, die zo plat was als een pannenkoek van Moeder Paula. Hij was als de dood dat de voorman zich zou bedenken en hem alsnog achterna zou komen. Elk moment verwachtte hij getoeter achter zich te horen, gevloek in de wind, de pick-uptruck zo dichtbij dat hij de hitte van de zware v-8-motor zou voelen.

Daarom keek Roy niet om en minderde hij geen vaart. Hij trapte zo hard hij kon, met verkrampte armen en brandende benen.

Hij stopte pas toen hij de top van zijn denkbeeldige berg in Montana had bereikt en omlaag suisde, de koele vallei in.

ACHTTIEN

'Datzelfde magere jong dat ik hier vorige week had gezien,' klaagde Curly tegen agent Delinko, 'maar dit keer heb ik dat ettertje betrapt!'

Agent Delinko bood aan het voorval te rapporteren, maar Curly verzekerde hem dat dat niet nodig was.

'Die komt niet meer terug, dat garandeer ik je. Niet nou hij met mij te maken heeft gekregen.'

Het was bijna middernacht op het bouwterrein. De twee mannen stonden naast de auto van de agent wat met elkaar te praten. Allebei geloofden ze in stilte dat de echte vandaal van Moeder Paula nog vrij rondliep, maar ze waren niet bereid hun vermoedens aan elkaar te laten blijken.

Agent Delinko vertelde Curly niet dat die jongen van Matherson te bang voor alligators was om de vandaal te kunnen zijn, omdat hij niet wilde dat de voorman zich weer zou opwinden.

En Curly vertelde agent Delinko niet dat de stoeltjes uit de graafmachines gestolen waren terwijl de jongen in hechtenis zat, omdat hij niet wilde dat de agent die informatie opnam in een politierapport dat een nieuwsgierige journalist onder ogen zou kunnen komen.

Ondanks hun geheimen waren ze alle twee blij dat ze die nacht niet in hun eentje op het terrein waren. Het was prettig om versterking in de buurt te hebben.

'Wat ik nog vragen wou,' zei agent Delinko. 'Wat is er gebeurd met die honden waardoor u de boel hier liet bewaken?'

'Die zenuwelijers bedoel je? Die zullen hem wel gesmeerd zijn tot helemaal in Berlijn,' zei Curly. 'Hoor eens, ik kruip er zo in. Gil maar als je iets nodig hebt.'

'Reken maar,' zei agent Delinko.

'En niet indutten vannacht, hè?'

'Wees daar maar niet bang voor.'

Agent Delinko was blij dat het donker was, zodat de voorman hem niet kon zien blozen. Hij zou nooit vergeten hoe weerzinwekkend zijn dierbare Crown Victoria er had uitgezien met zijn pikzwart geverfde ruiten. Hij droomde er nog steeds van de dader te pakken te krijgen en voor de rechter te brengen.

Nadat Curly zich in de airco-luxe van zijn bouwkeet had teruggetrokken, begon de agent over het terrein te lopen, achter de lichtstraal van zijn zaklamp aan van het ene piketpaaltje naar het volgende. Hij was van plan dat zo nodig de hele nacht te blijven doen, om ervoor te zorgen dat er niet met de paaltjes gerommeld werd. Hij had vijf thermoskannen vol hete koffie in zijn auto liggen, dus hij liep geen enkel risico tekort te komen.

Een braakliggend terrein bewaken was niet het indrukwekkendste politiewerk, dat wist agent Delinko wel, maar dit was een bijzonder belangrijke opdracht. De commissaris, de commandant, de brigadier – ze vertrouwden er allemaal op dat *hij* ervoor zorgde dat er niets onrechtmatigs meer gebeurde op het terrein van het pannenkoekenhuis. Agent Delinko begreep dat als hij zijn taak hier goed vervulde, zijn carrière bij het Bureau voor Openbare Veiligheid van Coconut Cove weer goed op de rails stond. Hij zag de gouden rechercheursbadge zonder moeite opdoemen aan de horizon.

Terwijl hij door de schaduwen sjokte zag agent Delinko zichzelf al in een maatpak in plaats van een gesteven uniform. Hij zou in een andere Crown Victoria rijden – het antracietgrijze onopvallende model dat alleen voor rechercheurs bestemd was – en hij zou een schouderholster dragen in plaats van een heupriem. Hij was al aan het dagdromen over een enkelholster, met een lichtgewicht pistool erbij, toen hij plotseling een onvrijwillige salto over het rulle zand maakte.

Nee hè, niet weer, dacht de agent.

Hij graaide om zich heen tot hij zijn zaklamp had gevonden, maar die deed het eerst niet. Hij schudde hem een paar keer en ten slotte flikkerde het lampje zwakjes aan.

Ja hoor, hij was weer in een uilenhol gestapt.

Agent Delinko krabbelde overeind en streek zijn broekspijpen glad. 'Maar goed dat Curly niet wakker is en dit ziet,' mompelde hij.

'Hè,' antwoordde een schor stemmetje.

De agent legde zijn rechterhand op de kolf van zijn revolver. Met zijn linkerhand richtte hij de zaklamp op de onzichtbare indringer.

'Geen beweging!' beval hij.

'Hè. Hè. Hè.'

Heen en weer ging de gele lichtstraal, maar er was niets te zien. Het astmatisch klinkende kabouterstemmetje leek uit het niets te komen.

Agent Delinko liep voorzichtig twee stappen verder en liet zijn lantaarn in het gat schijnen waar hij in was getrapt. Twee nieuwsgierige ambergele oogjes keken vanuit het donker naar hem op.

'Hè!'

De agent haalde zijn hand van zijn wapen en liet zich behoedzaam op zijn hurken zakken. 'Hé, hallo daar,' zei hij.

'Hè! Hè! Hè!'

Het was een jong uiltje, niet meer dan vijftien centimeter groot. Agent Delinko had nog nooit iets gezien dat zo teer en volmaakt was.

'Hè!' zei het uiltje.

'Hè!' zei de politieman, hoewel zijn stem te diep was om het geluid goed te imiteren. 'Ik wed dat jij zit te wachten tot je papa en mama je eten komen brengen, hè?'

De ambergele oogjes knipperden. Het gele snaveltje ging vol verwachting open en dicht. Het ronde kopje draaide heen en weer. Agent Delinko lachte hardop. Het miniatuurvogeltje fascineerde hem. Hij dimde zijn zaklamp en zei: 'Wees maar niet bang, makker, ik doe je niks.'

Van boven hen kwam opgewonden gefladder, gevolgd door een krassend *kssh! kssh! ksshhh!* Toen de agent opkeek, zag hij twee gevleugelde silhouetten tegen de sterrenhemel – de ouders van het jonge uiltje, die ongerust boven hun angstige jong rondcirkelden.

Agent Delinko begon langzaam achteruit te lopen, bij het nest vandaan, in de hoop dat de volwassen vogels zouden begrijpen dat ze veilig konden landen. In de blauwgrijze lucht kon hij hun donkere gedaanten lager en lager zien komen, en hij ging wat sneller achteruit.

Zelfs nadat de twee uilen waren neergestreken, zelfs nadat hij hen als gevederde geesten in de grond had zien verdwijnen, bleef agent Delinko achteruitlopen, stap voor stap, tot…

Hij botste tegen iets aan dat zo groot en koud en hard was dat hij naar adem hapte. Snel draaide hij zich om en klikte zijn zaklamp aan.

Het was een bulldozer.

Agent Delinko was regelrecht tegen een van Curly's graafmachines geknald. Nijdig keek hij op naar het stalen gevaarte, terwijl hij over zijn gekneusde schouder wreef. Hij merkte niet dat het stoeltje verdwenen was, en zelfs al had hij dat wel gedaan, dan zou hij zich er niet druk om hebben gemaakt.

Zijn gedachten hielden zich met iets veel onpleزierigers bezig. Zijn blik ging van de enorme bulldozer naar het vogelhol en weer terug.

Tot op dat moment had agent Delinko zich zo druk gemaakt om de oplossing van de zaak Moeder Paula en de redding van zijn eigen carrière dat hij nauwelijks aan iets anders had gedacht. Nu begreep hij wat er met de uiltjes zou gebeuren als hij zijn werk goed deed, en dat bezorgde hem een pijnlijk, loodzwaar gevoel van verdriet.

Roys vader had overgewerkt, zodat Roy geen kans had gekregen hem te vertellen wat hij op internet over de uilen te weten was gekomen, en dat een van de dossiers van het pannenkoekenhuis bij de afdeling bouwzaken verdwenen was. Dat leek heel verdacht, en Roy wilde graag horen wat er volgens zijn vader gebeurd zou kunnen zijn.

Maar toen hij ging zitten om te ontbijten kon hij meteen geen woord meer uitbrengen. Daar, vriendelijk naar hem glimlachend vanaf de achterpagina van zijn vaders krant, was Moeder Paula zelf! Het was een advertentie van een halve pagina, in vetgedrukte, ouderwets aandoende letters:

MOEDER PAULA'S
OUD-AMERIKAANSE PANNENKOEKENHUIS, WAAR DE
OVERHEERLIJKE CARAMEL-PECANWAFEL VANDAAN KOMT,
IS ER TROTS OP ZICH BIJ U
IN COCONUT COVE TE VESTIGEN!
MOEDER PAULA NODIGT U UIT SAMEN MET HAAR
HET FEESTELIJKE BEGIN VAN DE BOUW BIJ TE WONEN,
MORGENMIDDAG OM TWAALF UUR,
OP DE HOEK VAN EAST ORIOLE EN WOODBURY,
DE TOEKOMSTIGE LOCATIE VAN
ONS 469^E GEZINSRESTAURANT
IN DE VERENIGDE STATEN, CANADA EN JAMAICA.

Roy liet zijn lepel vallen, zodat er een kleffe kwak cornflakes door de keuken vloog.

'Wat is er, lieverd?' vroeg zijn moeder.

Roy voelde zich misselijk worden. 'Niks, mam.'

Toen ontdekte mevrouw Eberhardt de advertentie ook. 'Wat rot, Roy. Je moet er niet aan denken, die arme hulpeloze vogels.'

Meneer Eberhardt draaide de krant om om te zien waar zijn vrouw en zijn zoon naar zaten te staren. Hij fronste zijn wenkbrauwen en zei: 'Zo te zien zetten ze er haast achter met dat project.'

Roy stond op. Zijn hoofd leek vol watten te zitten. 'Ik moet weg, anders mis ik de bus nog.'

'O, er is nog tijd genoeg. Ga zitten en eet je ontbijt op,' zei zijn moeder.

Als verdoofd schudde Roy zijn hoofd. 'Dag mam. Dag pap.'

'Roy, wacht. Wil je praten?'

'Liever niet, pap.'

Zijn vader vouwde de krant op en gaf hem aan Roy. 'Heb je geen actualiteiten vandaag?'

'O ja,' zei Roy. 'Dat was ik vergeten.'

Elke dinsdag moesten de leerlingen van meneer Ryan van geschiedenis een onderwerp meebrengen voor een gesprek over actuele gebeurtenissen. Op die dagen gaf Roys vader hem altijd de krant mee zodat hij die in de bus kon lezen om een geschikt artikel uit te kiezen.

'Zal ik je soms naar school brengen vandaag?' bood zijn moeder aan.

Roy kon zien dat ze medelijden met hem had vanwege het nieuws over het pannenkoekenhuis. Ze dacht dat de uilen niet meer te redden waren, maar Roy wilde de hoop nog niet opgeven.

'Dat hoeft niet.' Hij stopte de krant in zijn rugzak. 'Mag ik je fototoestel lenen, mam?'

'Nou...'

'Voor school,' ging Roy verder, inwendig in elkaar krimpend bij die leugen. 'Ik zal er heel voorzichtig mee zijn, dat beloof ik.'

'Goed dan. Waarom ook niet.'

Voorzichtig stopte Roy de digitale camera tussen zijn boeken. Toen gaf hij zijn moeder een knuffel, zwaaide naar zijn vader en vloog de deur uit. Hij rende langs de halte waar hij gewoonlijk instapte en liep verder, helemaal tot de halte aan West Oriole, de straat waar Beatrice Leep woonde. Er stond nog geen enkele andere leerling van Trace Middle en daarom rende Roy naar Beatrices huis, waar hij op de stoep bleef staan wachten.

Hij probeerde een goede smoes te verzinnen om daar te staan, voor het geval dat Lonna of Leon hem zou zien. Het was Beatrice die ten slotte de voordeur uitkwam en Roy rende zo snel op haar af dat hij haar bijna omverliep.

'Wat was er gisteren met jou aan de hand? Waar is je broer? Heb je de krant van vanochtend gezien? Heb je –'

Ze legde haar hand over zijn mond.

'Kalm aan, koeienkop,' zei ze. 'Kom op, dan lopen we naar de bushalte. We praten onderweg wel.'

Zoals Roy al vermoed had, was Beatrices tand niet afgebroken doordat ze van de trap viel. Hij was afgebroken toen ze een ring van een van haar stiefmoeders tenen afbeet.

Die ring was gemaakt van een klein hangertje van topaas dat Beatrices moeder had achtergelaten toen ze verhuisde. Lonna had de steen uit Leons sokkenlade gepikt en er een hippe teenring voor zichzelf van laten maken.

Beatrice was het niet eens geweest met die diefstal.

'Als mijn vader wilde dat Lonna hem kreeg, had hij hem wel aan haar gegeven,' gromde ze.

'Dus toen heb je hem van haar teen af geknauwd? Hoe dan?' Roy was verbijsterd.

'Het viel niet mee.'

Beatrice trok een chimpanseegezicht en wees op een scherp stompje waar een van haar snijtanden had gezeten. 'Punt afgebroken. Ze gaan een neptand voor me maken en dan zie je er niks meer van,' verklaarde ze. 'Maar goed dat mijn vader een tandartsverzekering heeft.'

'Was ze wakker toen je het deed?'

'Ja hoor,' zei Beatrice, 'al zal ze wel wensen dat ze dat niet was. Maar vertel me nou maar wat er vanochtend in de krant stond waardoor jij zo over je toeren was.'

Ze kreunde toen Roy haar de advertentie liet zien voor het spectaculaire begin van de bouw van Moeder Paula. 'Daar zaten we nou net op te wachten – nóg een pannenkoekenhuis erbij.'

'Waar is je broer?' vroeg Roy. 'Zou hij het al gehoord hebben, denk je?'

Beatrice zei dat ze Harderhand sinds zondag niet meer had gezien. 'En toen brak de pleuris uit. Hij zat verborgen in de garage te wachten tot ik hem wat schone shirts kwam brengen, toen mijn vader naar buiten kwam om een nieuwe krat cola te halen. Ze staan daar met zijn tweeën een beetje te praten, niks aan de hand, als Lonna opeens verschijnt en een enorme keel opzet.'

'En toen?' vroeg Roy.

'Hij ging er als een haas vandoor. Intussen krijgen Lonna en mijn pa een gigantische ruzie –'

'Die waar je me over verteld hebt.'

'Precies. Pa wil dat mijn broer weer terugkomt en bij ons komt wonen, maar Lonna zegt: komt niks van in, hij is een smiecht. Wat betekent dat nou weer, Tex? "Een smiecht." Hoe dan ook, ze praten nog steeds niet tegen elkaar, Lonna en mijn pa. Het hele huis voelt of het elk moment uit elkaar kan knallen.'

In Roys oren klonk Beatrices situatie als een regelrechte nachtmerrie. 'Heb je een schuilplaats nodig?' vroeg hij.

'Nee hoor. Mijn vader zegt dat hij zich beter voelt als ik in de buurt ben.' Beatrice lachte. 'Lonna heeft tegen hem gezegd dat ik "gevaarlijk en geschift" ben. Misschien heeft ze nog half gelijk ook.'

Toen ze bij de bushalte kwamen ging Beatrice bij een van haar voetbalvriendinnen staan. Ze begonnen over de wedstrijd van de vorige avond te praten, die ze dankzij een strafschop van Beatrice hadden gewonnen. Roy hield zich op de achtergrond en zei niet veel, hoewel hij de nieuwsgierige blikken van anderen voelde. Tenslotte was hij de jongen die Dana Matherson had uitgedaagd en het had overleefd.

Hij was verbaasd toen Beatrice in de bus niet bij haar vriendinnen bleef maar naast hem kwam zitten.

'Laat die krant nog eens zien,' fluisterde ze.

Terwijl ze de advertentie van Moeder Paula bestudeerde zei ze: 'We kunnen twee dingen doen, Tex. We vertellen het hem, of we vertellen het hem niet.'

'Ik vind dat we meer moeten doen dan het alleen maar aan hem vertellen.'

'Met hem meedoen, bedoel je. Zoals je toen die avond zei.'

'Het is zij tegen hem. In zijn eentje maakt hij geen schijn van kans.'

'Dat is een feit. Maar we zouden alle drie in de cel kunnen belanden.'

'Niet als we het goed aanpakken.'

Nieuwsgierig keek Beatrice hem aan. 'Heb jij een plan, Eberhardt?'

Roy haalde zijn moeders fototoestel uit zijn rugzak en liet het haar zien.

'Ik luister,' zei ze.

En Roy vertelde het.

Hij liep de dagopening mis omdat hij bij de onderdirectrice moest komen.

De lange, eenzame haar op juffrouw Hennepins bovenlip krulde en glansde nog meer dan de vorige keer dat Roy haar zag. Vreemd genoeg was de haar nu goudblond van kleur en niet meer pikzwart zoals eerst. Zou ze hem geverfd hebben? vroeg Roy zich af.

'We hebben bericht gekregen dat er vrijdagavond een jongeman van de eerstehulpafdeling van het ziekenhuis gevlucht is,' zei ze, 'een jongeman die daar ten onrechte onder jouw naam geregistreerd stond. Wat kun je me daarover vertellen, Roy Eberhardt?'

'Ik weet zijn echte naam niet eens,' zei Roy vlak. Harderhand had er verstandig aan gedaan die niet te vertellen; omdat Roy zijn naam niet kende, hoefde hij ook niet te liegen.

'En jij verwacht serieus dat ik dat geloof?'

'Eerlijk waar, juffrouw.'

'Zit hij hier op Trace Middle?'

'Nee, juffrouw,' zei Roy.

De onderdirectrice was zichtbaar teleurgesteld. Kennelijk had ze gehoopt zeggenschap over de verdwenen vluchteling te kunnen claimen.

'Waar zit je naamloze vriend dan op school?'

Hou je vast, dacht Roy. 'Hij is nogal veel op reis, geloof ik.'

'Krijgt hij thuis les?'

'Dat zou je kunnen zeggen.'

Juffrouw Hennepin gluurde naar Roy met toegeknepen ogen. Met haar magere wijsvinger streek ze langs de golvende sliert boven haar mond. Roy rilde van afkeer.

'Roy Eberhardt, het is onwettig voor een jongen van jouw leeftijd om niet naar school te gaan. Dat heet ongeoorloofd verzuim.'

'Ja, dat weet ik.'

'Dan zou je er misschien verstandig aan doen je voortvluchtige vriend van dat feit op de hoogte te stellen,' zei de onderdirectrice zuur. 'Weet je wel dat het schooldistrict speciale politie heeft die op zoek gaat naar spijbelaars? Ze zijn heel goed in hun werk, dat kan ik je verzekeren.'

Roy dacht niet dat het de spijbelpolitie makkelijk zou vallen Harderhand door de bossen en mangroven te volgen, maar toch zat het hem niet lekker. Stel dat ze bloedhonden hadden, en helikopters?

Juffrouw Hennepin kwam wat dichterbij; ze rekte haar magere nek uit als een buizerd. 'Jij hebt hem jouw naam laten gebruiken in het ziekenhuis, nietwaar, Roy Eberhardt? Jij hebt toegestaan dat die delinquent jouw identiteit leende voor zijn eigen dubieuze doeleinden.'

'Hij was door een stel valse honden gebeten. Hij moest naar een dokter.'

'En je verwacht dat ik geloof dat dat alles was? Serieus?'

Roy kon alleen maar berustend zijn schouders ophalen. 'Mag ik nu gaan?'

'Tot we elkaar weer over dit onderwerp spreken, jij en ik,' zei juffrouw Hennepin. 'Dit muisje krijgt vast nog wel een staartje.'

Ja, dacht Roy, dat staartje groeit al onder je neus.

Tussen de middag leende hij Garretts fiets en reed naar het autokerkhof. Niemand zag hem gaan en dat was maar goed ook; het was de leerlingen streng verboden zonder briefje het schoolterrein te verlaten.

Beatrices broer lag te dutten toen Roy Jo-Jo's ijswagen binnen kwam vallen. De jongen, die geen shirt aan had en onder de muggenbeten zat, kroop zijn slaapzak uit en pakte de krant van Roy aan. Roy had een emotionele reactie verwacht op het nieuws dat de bouw officieel zou beginnen, maar Harderhand bleef verrassend kalm, bijna of hij het al verwacht had. Hij scheurde de advertentie van Moeder Paula voorzichtig uit en bestudeerde hem alsof het een schatkaart was.

'Om twaalf uur dus?' mompelde hij zacht.

'Dat is nog maar vierentwintig uur vanaf nu,' zei Roy. 'Wat moeten we doen?'

'Hoezo, we?'

'Jij, ik en Beatrice.'

'Vergeet het maar, man. Ik sleep jullie tweeën niet mee in de rottigheid.'

'Wacht, luister naar me,' zei Roy dringend. 'We hebben het er al over gehad, Beatrice en ik. We willen je helpen de uilen te redden. Serieus, we staan startklaar.'

Hij pakte de camera uit en gaf die aan de jongen. 'Ik laat je wel zien hoe hij werkt. Het is heel makkelijk.'

'Waar is dat voor?'

'Als jij een foto van een van de uilen kunt nemen, kunnen we verhinderen dat de pannenkoekenmensen op dat terrein gaan graven.'

'Ach, ga toch weg,' zei de jongen.

'Echt waar,' zei Roy. 'Ik heb het nagekeken op internet. Die uilen zijn beschermd – het is hartstikke tegen de wet om die holen kapot te maken tenzij je daar een speciale vergunning voor hebt, en het dossier met vergunningen van Moeder Paula is uit het gemeentehuis verdwenen. Wat maak je daaruit op?'

Harderhand frummelde twijfelend aan de camera. 'Kunstig apparaat,' zei hij, 'maar het is te laat voor kunstige spullen, Tex. Het is tijd voor grof geschut.'

'Nee, wacht. Als we hun bewijs geven, dan moeten ze het project wel stopzetten,' hield Roy vol. 'We hoeven maar één snertfoto van één klein uiltje te hebben –'

'Je kunt beter gaan,' zei de jongen. 'Ik heb dingen te doen.'

'Maar je kunt niet helemaal in je eentje tegen die pannenkoekenmensen op. Echt niet. Ik ga niet weg voor je van gedachten verandert.'

'Ik zei: maak dat je wegkomt!' Harderhand greep Roy bij zijn arm, draaide hem in het rond en zwiepte hem de ijswagen uit.

Roy landde op handen en voeten in het hete grind. Hij was een tikje overdonderd: hij was vergeten hoe sterk dat joch was.

'Ik heb jou en mijn zusje al genoeg moeilijkheden bezorgd. Van nu af aan is dit *mijn* oorlog.' Uitdagend stond hij in de deuropening van de wagen, met verhitte wangen en fonkelende ogen. In zijn rechterhand hield hij mevrouw Eberhardts digitale camera.

Roy wees ernaar en zei: 'Hou die voorlopig maar.'

'Laat naar je kijken. Ik kom er nooit uit hoe ik zo'n stom ding moet gebruiken.'

'Ik zal je laten zien –'

'Neuh,' zei de jongen. Hij schudde zijn hoofd. 'Ga jij nou maar terug naar school. Ik heb werk te doen.'

Roy stond op en veegde het grind van zijn broek. Hij had een hete brok in zijn keel, maar hij was vastbesloten niet te gaan huilen.

'Jij hebt al genoeg gedaan,' zei de rennende jongen tegen hem, 'meer dan ik mocht verwachten.'

Er waren wel een miljoen dingen die Roy had willen zeggen, maar het enige dat hij kon uitbrengen was: 'Veel succes morgen.'

Harderhand knipoogde en stak zijn duim omhoog.

'Tot kijk, Roy,' zei hij.

Er stonden verschillende stukken in de krant die heel geschikt zouden zijn geweest voor actualiteiten.

In de bergen van Pakistan was een vermiste soldaat van de Groene Baretten teruggevonden. Een arts in Boston had een nieuw geneesmiddel voor leukemie ontdekt. En in Naples, Florida, was een hoge piet gearresteerd omdat hij $ 5000 smeergeld had aangenomen van de ontwikkelaar van een golfbaan.

Toen Roy aan de beurt was om iets te vertellen, gebruikte hij geen van die artikelen voor zijn praatje. Hij hield de krant omhoog en wees naar de afgescheurde bladzijde waar de advertentie van Moeder Paula had gezeten.

'Bijna iedereen hier houdt van pannenkoeken,' begon hij. 'Ik in elk geval wel. En toen ik voor het eerst hoorde dat er hier in Coconut Cove een Moeder Paula zou komen, vond ik dat prima.'

Een paar kinderen knikten en lachten. Eén meisje wreef over haar maag alsof ze trek had.

'Zelfs toen ik erachter kwam waar ze het gaan bouwen – op dat grote lege stuk grond op de hoek van East Oriole en Woodbury – zag ik daar niks verkeerds in,' zei Roy. 'Tot een vriend van me mij op een dag meenam daarnaartoe en me iets liet zien waardoor ik er heel anders over ging denken.'

Nu hielden de andere leerlingen op met zachtjes praten en luisterden ze. Ze hadden die nieuwe jongen nog nooit zoveel horen zeggen.

'Het was een uiltje,' ging Roy verder, 'ongeveer zó groot.'

Hij hield twee vingers op, de ene ruim twintig centimeter boven de andere, om het aan te geven. 'Toen ik nog met mijn ouders in het westen woonde, zagen we daar heel vaak uilen, maar nooit eentje die zo klein was als deze. En het was echt geen jonkie, hij was helemaal volwassen! Hij zat zo rechtop en hij zag er zo ernstig uit; hij leek net een piepklein professortje.'

De hele klas lachte.

'Ze heten "holenuilen" omdat ze letterlijk in holen in de grond wonen,' vervolgde Roy, 'in de oude holen van schildpadden en gordeldieren. Nu blijken er dus een paar uilenfamilies te zitten op dat stuk land aan Woodbury en East Oriole. Ze hebben een nest gebouwd in de holen daar en daarin brengen ze hun jongen groot.'

Enkele kinderen schoven onrustig heen en weer. Een paar begonnen bezorgd te fluisteren en sommigen keken naar meneer Ryan, die peinzend aan zijn bureau zat met zijn kin op zijn handen.

'Roy,' zei hij vriendelijk, 'dit is een uitstekend onderwerp voor biologie of maatschappijleer, maar misschien minder voor actualiteiten.'

'O, maar het is ontzettend actueel,' protesteerde Roy. 'Het gebeurt morgenmiddag om twaalf uur, meneer.'

'Wat gebeurt er dan?'

'Dan beginnen ze met het graafwerk om plaats te maken voor het pannenkoekenhuis. Ze maken er een groot feest van of zoiets,' zei Roy. 'Die mevrouw die Moeder Paula speelt op tv is er ook bij. En de burgemeester. Dat stond in de krant.'

Een roodharig meisje op de eerste rij stak haar hand op. 'Stond er in de krant niets over die uilen?'

'Nee. Geen woord,' zei Roy.

'Maar wat gebeurt er dan met hen?' riep een jongen met sproeten achter in de klas.

'Dat zal ik je vertellen, wat er met hen gebeurt.' Roy keek naar meneer Ryan. 'De bulldozers gaan al die holen begraven, met alles wat erin zit.'

'Ja, ho even!' riep het meisje met het rode haar, en de hele klas barstte los in druk gepraat tot meneer Ryan iedereen vroeg om stil te zijn en Roy te laten uitpraten.

'Misschien proberen de volwassen uiltjes weg te vliegen,' zei Roy, 'maar het zou ook kunnen dat ze gewoon in hun hol blijven zitten om hun jongen te beschermen.'

'Maar dan gaan ze dood!' riep de jongen met de sproeten.

'Hoe kunnen die pannenkoekenmensen dat zomaar doen?' vroeg iemand anders.

'Dat weet ik niet,' antwoordde Roy, 'maar het is niet legaal en het deugt ook niet.'

Op dat moment kwam meneer Ryan resoluut tussenbeide. 'Wacht even, Roy, hoezo is het "niet legaal"? Je moet heel voorzichtig zijn met zulke ernstige beschuldigingen.'

Opgewonden legde Roy uit dat de holenuilen beschermd werden door nationale en federale wetten, en dat het illegaal was om de vogels schade toe te brengen of nog in gebruik zijnde holen te verstoren zonder speciale vergunning van de overheid.

'Oké. Mooi,' zei meneer Ryan, 'maar wat heeft het pannenkoekenhuis hierover te zeggen? Ze hebben vast wel de juiste vergunning –'

'Het dossier is weg,' onderbrak Roy hem, 'en de voorman probeerde me wijs te maken dat er helemaal geen uilen op het terrein zaten, niet één. En dat is een leugen.'

De klas begon weer te roezemoezen.

'Dus morgen tussen de middag,' vervolgde Roy, 'ga ik daarheen om... nou, gewoon omdat ik wil dat die mensen van Moeder Paula weten dat iemand in Coconut Cove zich druk maakt om die vogels.'

Meneer Ryan schraapte zijn keel. 'Dit is een lastige situatie, Roy. Ik snap hoe kwaad en gefrustreerd je je moet voelen, maar ik moet je eraan herinneren dat de leerlingen niet van het schoolterrein af mogen.'

'Dan vraag ik wel een briefje aan mijn ouders,' zei Roy.

De leraar glimlachte. 'Dat lijkt me de juiste manier.' De klas verwachtte dat hij nog meer zou zeggen, maar dat gebeurde niet.

'Moet je horen,' zei Roy, 'elke dag lezen we over gewone mensen, doodgewone Amerikanen die geschiedenis hebben geschreven omdat ze opstonden en vochten voor iets waarin ze geloofden. Oké, ik weet ook wel dat we het hier alleen maar over een paar piepkleine uiltjes hebben, en ik weet dat iedereen gek is op Moeder Paula's pannenkoeken, maar wat daar gebeurt is doodgewoon verkeerd. Hartstikke verkeerd.'

Zijn keel was zo droog als prairiestof en zijn nek was heet.

'Hoe dan ook,' mompelde hij, 'het is morgen om twaalf uur.'

Toen ging hij zitten.

Het werd stil in de klas, een lange, zware stilte die in Roys oren bulderde als een trein.

NEGENTIEN

'Ik maak me zorgen om die uiltjes,' zei agent Delinko tegen Curly. 'Welke uiltjes?'

Het was donker geworden op het bouwterrein en zwaluwen schoten heen en weer, op jacht naar muggen. Morgen was de grote dag.

'Kom nou, ik heb ze met eigen ogen gezien,' zei de agent. 'Is er geen manier om ze, weet ik veel, naar een veilige plek te brengen of zo?'

'Wil je mijn advies?' vroeg Curly. 'Niet aan denken. Uit je hoofd zetten, dat doe ik ook.'

'Dat kan ik niet. Dat is het probleem.'

Curly stak zijn duim in de richting van de keet. 'Wil je effe pauze? Ik heb de nieuwe Jackie Chan gehuurd.'

Agent Delinko snapte niet hoe de voorman zo nonchalant kon doen over het dichtgooien van de uilenholen. Hij vroeg zich af of het alleen maar een machohouding was. 'Heb je hun verteld dat die vogels hier zaten?' vroeg hij.

'Wie verteld?'

'Het pannenkoekenbedrijf. Misschien weten ze het niet.'

Curly snoof. 'Geintje zeker? Die weten alles,' zei hij. 'Hoor eens, ons probleem is het niet. Al zouden we het willen, dan konden we nog niks doen.'

Hij verdween naar zijn keet terwijl agent Delinko doorging met patrouilleren op het terrein. Iedere keer dat hij langs een hol kwam liet hij zijn zaklamp naar binnen schijnen, maar hij zag geen uilen.

Hij hoopte dat de vogels al hadden voelen aankomen dat er iets ging gebeuren en waren weggevlogen, maar dat leek onwaarschijnlijk.

Kort na middernacht hoorde agent Delinko Curly naar buiten komen en zijn naam roepen. De voorman beweerde dat hij wakker was geworden van een geluid alsof er iemand over de omheining klom.

Met getrokken pistool zocht de agent het gebied grondig af; hij keek op het dak van de keet en ook eronder. Het enige dat hij vond was een reeks opossumsporen in het zand.

'Het klonk veel groter dan een opossum,' zei Curly nors.

Later, toen de agent zijn derde thermoskan koffie uit de politieauto haalde, meende hij een reeks witte flitsjes te zien aan het andere uiteinde van het terrein. Het deed hem denken aan de felle lichtflitsen die hij wel eens bij auto-ongelukken 's avonds laat had gezien, als de politiefotograaf foto's aan het nemen was.

Maar toen hij naar de plek rende waar hij de flitsen had gezien, trof hij niets ongewoons aan. Het zou wel warmteweerlicht geweest zijn, dacht hij, dat terugkaatste van de lage wolken.

De rest van de nacht ging voorbij zonder dat er iets gebeurde. De agent bleef klaarwakker.

Tijdens het ontbijt vroeg Roy aan zijn moeder of hij in de middagpauze van school weg mocht. Hij verwachtte dat zij eerder ja zou zeggen dan zijn vader, maar dat viel tegen.

'Ik weet niet of het wel zo'n goed idee is om naar dat bouwfeest te gaan.'

'Maar mam –'

'Laten we maar eens horen wat je vader ervan vindt.'

Nou, dacht Roy, dat kan ik dus wel vergeten.

Zodra meneer Eberhardt aan tafel kwam zitten vertelde zijn vrouw hem wat Roy had gevraagd.

'Natuurlijk, waarom niet?' zei meneer Eberhardt. 'Ik schrijf wel een briefje voor hem.'

Roys mond viel open. Hij had verwacht dat zijn vader precies andersom zou reageren.

'Maar je moet wel beloven dat je je gedraagt,' zei meneer Eberhardt, 'hoe nijdig je ook wordt.'

'Dat beloof ik, pap.'

Later legde meneer Eberhardt Roys fiets in de kofferbak van zijn auto en bracht hij Roy naar school. Toen hij hem voor het gebouw afzette, vroeg hij: 'Wat denk je, zou je vriend vandaag ook bij de plechtigheid zijn – Beatrices stiefbroer?'

'Vast wel,' zei Roy.

'Behoorlijk riskant.'

'Dat weet ik, pap. Ik heb geprobeerd hem dat te vertellen.'

'Wees jij in elk geval voorzichtig,' zei meneer Eberhardt streng, 'en gebruik je hersens.'

'Komt voor elkaar.'

Beatrice Leep stond voor Roys klas op hem te wachten. Haar krullende haar was vochtig, alsof ze net onder de douche vandaan kwam.

'En?' vroeg ze.

'Ik heb een briefje. En jij?'

Ze liet een kreukelig papieren servetje zien waar in rode inkt iets op gekrabbeld stond. 'Ik heb mijn vader wakker gemaakt om het te vragen. Hij was zo van de wereld dat hij alles getekend zou hebben,' zei ze. 'Ik had een cheque voor duizend dollar aan mezelf moeten uitschrijven.'

'Dan zijn we dus helemaal klaar voor twaalf uur,' zei Roy. Hij liet zijn stem zakken. 'Ik ben bij je broer geweest. Hij heeft me de ijswagen uitgegooid.'

Beatrice haalde haar schouders op. 'Wat zal ik zeggen. Soms is hij onmogelijk.'

Ze viste in haar tas en haalde er het fototoestel van Roys moeder uit. 'Dit heeft hij gisteravond laat bij ons thuis afgegeven, toen Lonna en mijn vader al naar bed waren. Hij zegt dat hij de foto's heeft die je wilde. Ik heb geprobeerd te kijken, maar ik snapte niet hoe dat stomme ding werkte.'

Zonder iets te zeggen greep Roy de camera en borg hem op in zijn kluisje.

'Duimen dan maar,' zei Beatrice, voor ze in de stroom leerlingen opging en verdween.

Roy was de rest van de ochtend in opgewonden gepeins verzonken, benieuwd of zijn plan misschien echt zou werken.

Om kwart voor elf 's ochtends hield er een zwarte verlengde limousine stil bij het braakliggende terrein aan Woodbury en East Oriole. De chauffeur stapte uit en opende een van de deuren. Enkele ogenblikken gebeurde er niets, maar toen kwam er een lange man met golvend zilverkleurig haar te voorschijn, die zijn ogen dichtkneep tegen de zon. Hij droeg een witte broek met een scherpe vouw en een donkerblauwe blazer met een embleem op de borstzak.

De man keek ongeduldig om zich heen vanachter een enorme zonnebril. Zelfverzekerd knipte hij met zijn vingers naar agent Delinko, die net het portier van zijn politieauto opende.

De agent merkte niet dat hij werd ontboden. Hij was op weg naar huis nadat hij veertien uur onafgebroken op het bouwterrein had doorgebracht – Curly was naar huis gegaan om te douchen en zich te scheren en daarom was agent Delinko een oogje op de graafmachines blijven houden, waar nieuwe stoeltjes in gezet waren. Nu de voorman weer terug was – in een colbertje en met een das om nota bene! – verliet de agent het terrein. Hij voelde er niets voor om bij die begin-van-de-bouw-onzin te blijven.

'Agent!' De zilverharige man bleef hardnekkig wenken. 'Hé, agent! Hierheen.'

Agent Delinko liep naar de limousine toe en informeerde wat er aan de hand was. De man stelde zich voor als Chuck E. Muckle, directeur van het een of ander bij Moeder Paula's Oud-Amerikaanse Pannenkoekenhuis N.V. Op vertrouwelijke toon ging hij verder: 'We hebben wat discrete assistentie nodig.'

'Nou, mijn dienst zit erop,' zei agent Delinko, 'maar ik wil best een andere eenheid voor u bellen.' Hij was zo doodmoe door slaapgebrek dat hij nauwelijks genoeg energie over had om een gesprek te voeren.

'Weet u wel wie er in deze auto zit?' vroeg Chuck Muckle met een knikje naar de limousine.

'Nee, meneer.'

'Mevrouw Kimberly Lou Dixon!'

'Dat is fijn,' zei agent Delinko onaangedaan.

'*De* Kimberly Lou Dixon.'

'Gut, wat zeg je me daarvan.'

Chuck Muckle stak zijn rode gezicht wat verder naar voren. 'U hebt totaal geen idee over wie ik het heb, hè agent?'

'Geen flauw idee, meneer. Ik heb nog nooit van de dame gehoord.'

De directeur rolde met zijn ogen en begon uit te leggen wie Kimberly Lou Dixon was, en waarom ze helemaal uit Beverly Hills, Californië, naar Coconut Cove, Florida, was gekomen.

'En op dit ogenblik,' zei Chuck Muckle, 'heeft ze nogal dringend behoefte aan een plek om haar neus te poederen.'

'Haar neus te poederen,' herhaalde agent Delinko niet-begrijpend.

'Een plek om haar neus te poederen! Een plek om zich op te frissen!' barstte Chuck Muckle geïrriteerd uit. 'Is dat echt zo moeilijk te volgen, agent? Dan zal ik het maar proberen te zeggen in een taal die u wel begrijpt – ze moet naar de wc, ja?'

'Gesnopen.' Agent Delinko wees naar Curly's bouwkeet. 'Kom maar mee.'

Toen Kimberly Lou Dixon uit de limousine stapte was agent Delinko verbijsterd te zien hoe jong ze leek vergeleken bij het rimpelige oude omaatje dat ze in de tv-reclames speelde. Kimberly Lou had heldergroene ogen en een gladde, crèmekleurige huid – een aantrekkelijke, beschaafde vrouw, dacht de agent.

Toen deed ze haar mond open.

'Ik moet een plasje,' verkondigde ze met een stem als schuurpapier. 'Wijs de weg maar, kanjer.'

De actrice had een grote leren tas over haar schouder; ze liep op hoge hakken en droeg een zwarte rok en een lichte zijdeachtige blouse.

Curly was met stomheid geslagen toen hij de deur van zijn keet opendeed. Zonder een woord te zeggen liep Kimberly Lou Dixon langs hem heen in de richting van het toilet.

'Kan ik me hier omkleden?' vroeg ze met een hese stem.

'Hoezo omkleden? Je ziet er al verrekte goed uit zoals je bent.'

'Haar Moeder Paula-kostuum aantrekken,' bemoeide agent Delinko zich ermee. 'Ze is samen met de een of andere vent; hij wil weten of ze je keet als kleedkamer kan gebruiken.'

'Wanneer ze maar wil,' zei Curly met een dromerige glimlach.

Het silhouet van een man verscheen in de deuropening, gevolgd door een wolk opdringerige aftershave. 'Kijk eens aan, u moet de onvolprezen Leroy Branitt zijn,' gromde een bekende sarcastische stem.

Curly kromp in elkaar. Agent Delinko ging opzij en zei: 'Deze meneer is van het pannenkoekenbedrijf.'

'Dat dacht ik al,' zei Curly. Hij stak zijn rechterhand uit naar Chuck Muckle, die ernaar staarde alsof het een dode vis was.

'Meneer Branitt, zeg alstublieft dat u geen slecht nieuws hebt dat deze heerlijke tropische ochtend zou kunnen bederven. Zeg alstublieft dat alles hier in Coconut Cove piekfijn in orde is.'

'Ja meneer,' zei Curly. 'We zijn de laatste twee nachten op het terrein gebleven, ik en de agent hier, en het is hier zo rustig geweest als op het kerkhof. Heb ik geen gelijk, David?'

'Absoluut,' zei agent Delinko.

Chuck Muckle griste zijn zonnebril af en bekeek de agent twijfelend. 'U bent toch niet toevallig diezelfde kanjer van een politieman die in zijn auto in slaap viel terwijl die vandaal onze piketpaaltjes molde, hè?'

Hoe nieuwsgierig agent Delinko ook was Kimberly Lou Dixon als Moeder Paula verkleed te zien, nu wenste hij toch dat hij ergens ver, heel ver daarvandaan was.

'Hetzelfde genie,' vervolgde Chuck Muckle, 'wiens nonchalante slaapgewoonten een krantenartikel opleverden waarin de goede naam en reputatie van Moeder Paula ten onrechte besmeurd werden? Was u dat?'

'Ja, dat was hij,' zei Curly.

Agent Delinko wierp de voorman een vuile blik toe voor hij antwoord gaf. 'Het spijt me verschrikkelijk, meneer,' zei hij, terwijl hij dacht: meer voor mezelf dan voor jou.

'Verbazingwekkend dat u nog steeds een baan hebt,' merkte Chuck Muckle op. 'Uw commissaris moet wel bijzonder ruimhartig zijn. Of hij zit te springen om mensen.'

Curly wist eindelijk iets positiefs bij te dragen. 'Agent Delinko is degene die mij laatst heeft geholpen die inbreker te pakken te krijgen!'

Dat was een schandalige overdrijving van Curly's eigen rol bij de gevangenneming van Dana Matherson en agent Delinko wilde net het een en ander rechtzetten toen Kimberly Lou Dixon het toilet uit kwam stormen.

'Weet je verdorie wel dat het daarbinnen stikt van de kakkerlakken?' riep ze.

'Dat zijn geen kakkerlakken, dat zijn krekels,' zei Curly. 'Ik weet ook niet waar die stomme beesten opeens vandaan komen.'

Hij wrong zich langs agent Delinko en Chuck Muckle heen en stelde zich aan de actrice voor. 'Ik ben de technisch opzichter van dit project, mevrouw Dixon, en ik wou u even laten weten dat ik al uw films heb gezien.'

'Allebei, bedoel je?' Kimberly Lou Dixon klopte hem op de glimmende schedel. 'Geeft niks, hoor, het was heel lief van je om dat te zeggen.'

'En ik kan haast niet wachten op uw nieuwe film – *Invasie van de Mutanten van Saturnus Elf*. Ik ben echt gek op dat sciencefiction-spul.'

'*Jupiter Zeven!*' kwam Chuck Muckle ertussen. 'Hij heet *Invasie van de Mutanten van Jupiter Zeven*.'

'Maakt niet uit,' riep Curly enthousiast, 'u zult een fantastische sprinkhanenkoningin zijn.'

'Ja hoor. Ik ben mijn Oscar-speech al aan het schrijven.' De actrice keek op haar met diamantjes bezette horloge. 'Hoor eens, ik moet mezelf eens gauw in die lieve ouwe Moeder Paula gaan veranderen. Kan een van jullie schatjes alsjeblieft mijn koffer uit de limo gaan halen?'

TWINTIG

Een kleinere limousine leverde de burgemeester van Coconut Cove, raadslid Bruce Grandy en de directeur van de kamer van koophandel af bij het bouwterrein. Daarna arriveerde een satellietwagen van een tv-station in Naples, gevolgd door een persfotograaf.

Gemeentearbeiders bonden rode, witte en blauwe slingers aan de omheining en hingen een handbeschilderd spandoek op met WEL-KOM, MOEDER PAULA.

Om tien voor twaalf arriveerden Roy en Beatrice; dit keer zat zij op het stuur en trapte hij; het fototoestel zat veilig opgeborgen in zijn rugzak. Tot hun verbazing zagen ze dat zij niet de enigen waren die kwamen opdagen – de jongen met de sproeten, het meisje met het rode haar en minstens de helft van de andere kinderen uit de geschiedenisklas van meneer Ryan waren er ook, plus een heel stel ouders.

'Wat heb je die kinderen gisteren in vredesnaam verteld?' vroeg Beatrice. 'Heb je ze gratis wafels beloofd of zo?'

'Ik heb het alleen maar over de uiltjes gehad, dat is alles,' zei Roy.

Er kwam nog een prettige verrassing toen er een busje van de afdeling sport van Trace Middle School stopte en Beatrices teamgenoten naar buiten dromden. Sommigen hadden zelfgemaakte borden bij zich.

Roy grijnsde naar Beatrice, die haar schouders ophaalde alsof het niets voorstelde. Ze speurden de groeiende menigte af, maar haar voortvluchtige stiefbroer was nergens te bekennen.

De uilen waren ook nergens te bekennen, maar dat verbaasde Roy niet; met zoveel lawaai en zo'n hoop mensen zouden de vogels wel onder de grond blijven, waar het donker en veilig was. Roy wist dat de pannenkoekenmensen daar juist op gokten: dat de uilen te bang zouden zijn om naar buiten te komen.

Om kwart over twaalf zwaaide de deur van de bouwkeet open. De eerste die naar buiten kwam was een politieman die Roy herkende als agent Delinko; toen de kale voorman met het afschuwelijke humeur; toen een verwaand uitziende kerel met zilverkleurig haar en een achterlijke zonnebril.

De laatste die naar buiten kwam was de vrouw die Moeder Paula speelde in de tv-reclames. Ze droeg een glanzende grijze pruik, een omabrilletje en een katoenen schort. Een paar mensen klapten toen ze haar herkenden, waarop ze aarzelend zwaaide.

De groep marcheerde naar een rechthoekige open plek midden op de bouwplaats, die met touw was afgezet. De zilverharige man kreeg een megafoon aangereikt en hij vertelde dat hij Chuck E. Muckle was, directeur op het hoofdkantoor van Moeder Paula. Hij dacht echt dat hij heel wat voorstelde, dat kon Roy wel zien.

Chuck Muckle negeerde de voorman en de agent, en begon met groot enthousiasme enkele plaatselijke hoge pieten voor te stellen – de burgemeester, een raadslid en het hoofd van de kamer van koophandel.

'Ik kan u niet vertellen hoe trots en blij we zijn hier in Coconut Cove ons 469ᵉ gezinsrestaurant te openen,' zei Chuck Muckle. 'Meneer de burgemeester, meneer Grandy, u allemaal, geweldig dat u op deze prachtige dag hierheen bent gekomen… Ik ben hier om u te beloven dat Moeder Paula een goede burger, een goede vriendin en een goede buur zal worden voor iedereen!'

'Tenzij je een uil bent,' zei Roy.

Chuck Muckle hoorde het niet. Hij stak zijn hand op naar de menigte scholieren en zei: 'Ik vind het echt fantastisch hier vandaag zoveel aardige jonge mensen te zien. Dit is een historisch ogenblik voor jullie stad – *onze* stad, moet ik zeggen – en we zijn blij dat jullie de lessen even hebben kunnen onderbreken om dat met ons te vieren.'

Hij pauzeerde en produceerde een lachje. 'Maar eigenlijk verwacht ik wel dat we de meesten van jullie terug zullen zien als het restaurant opengaat en Moeder Paula achter het fornuis staat. Hé, jongens, wie houdt er van caramel-pecanwafels?'

Het was een pijnlijk moment. Alleen de burgemeester en raadslid Grandy staken hun hand op. De meisjes van het voetbalteam hielden hun zelfgemaakte borden met de blanco zijde naar voren, omdat ze op aanwijzingen van Beatrice wachtten.

Chuck Muckle hinnikte zenuwachtig. 'Lieve Moeder Paula, ik geloof dat het zover is. Zullen we dan maar?'

Ze poseerden allemaal naast elkaar – de directeur van het bedrijf, de burgemeester, Moeder Paula, raadslid Grandy en de baas van de kamer van koophandel – voor de cameraploeg en de persfotograaf.

Er werden goudgeverfde spaden uitgedeeld en op een teken van Chuck Muckle bogen alle hoogwaardigheidsbekleders zich glimlachend naar voren om een schepvol zand op te graven. Keurig op hetzelfde moment begonnen enkele gemeenteambtenaren die tussen het publiek stonden, te juichen en te applaudisseren.

Het was de grootste nepvertoning die Roy ooit had gezien. Hij kon niet geloven dat iemand dat op tv zou uitzenden of in de krant zou zetten.

'Die mensen,' zei Beatrice, 'zijn niet van deze wereld.'

Zodra het poseren was afgelopen gooide Chuck Muckle zijn gouden schop op de grond en greep de megafoon. 'Voor de bulldozers en de gravers aan de slag gaan,' zei hij, 'wil Moeder Paula zelf graag een paar woorden zeggen.'

Moeder Paula keek niet erg enthousiast toen ze de megafoon in haar handen geduwd kreeg. 'Dit is een heel leuk stadje,' zei ze, 'en ik zie jullie volgend voorjaar weer terug bij de grootse opening –'

'Vergeet het maar!'

Dit keer kwamen de woorden uit Roys mond als een schreeuw, en daar stond niemand meer van te kijken dan hijzelf. Er ging een rimpeling door de menigte en Beatrice kwam wat dichter bij hem staan, half verwachtend dat er iemand op hem af zou komen.

De actrice die Moeder Paula speelde tuurde nijdig over haar goedkope omabrilletje naar de menigte. 'En wie zei dat?'

Roy stak automatisch zijn rechterarm op. 'Dat was ik, Moeder Paula,' riep hij. 'Als u ook maar één van onze uilen kwaad doet, eet ik nooit meer een van uw stomme pannenkoeken.'

'Waar heb je het over? Welke uilen?'

Chuck Muckle graaide naar de megafoon, maar Moeder Paula stak haar elleboog uit en raakte hem midden in zijn buik. 'Achteruit, Chuckiemuckie,' snoof ze.

'Nou, kijk zelf maar,' zei Roy. Hij wees om zich heen. 'Overal waar u zo'n gat ziet zit een uilenhol onder de grond. Daar bouwen ze hun nesten en leggen ze hun eieren. Daar wonen ze.'

Chuck Muckles wangen werden paars. De burgemeester keek of hij er geen touw aan vast kon knopen, raadslid Grandy keek of hij elk ogenblik kon flauwvallen en de man van de kamer van koophandel zag eruit of hij een stuk zeep had ingeslikt.

Intussen stonden de ouders in de menigte luid te praten en naar de holen te wijzen. Een paar schoolkinderen begonnen te scanderen om Roy te steunen en Beatrices teamgenoten begonnen met hun zelfbeschilderde borden te zwaaien.

Op een ervan stond: MOEDER PAULA WAAGT ZICH IN HET HOL VAN DE UIL!

Op een andere: HOEPEL OP, VOGELMOORDENAARS!

En er was nog een derde met: RED DE UILEN, BEGRAAF DE PANNENKOEKEN!

Terwijl de persfotograaf opnamen maakte van de demonstranten, zei Moeder Paula smekend: 'Maar ik wil jullie uilen helemaal geen kwaad doen! Eerlijk waar, ik zou nog geen vlieg kwaad doen!'

Chuck Muckle kreeg eindelijk de megafoon weer te pakken en voer bulderend tegen Roy uit: 'Jij moet je eerst eens op de hoogte stellen van de feiten voor je met zulke schandalige, lasterlijke beschuldigingen komt, jongeman. Er zijn hier geen uilen, niet één! Die oude holen zijn al jaren verlaten.'

'O ja?' Roy voelde in zijn rugzak en haalde zijn moeders fototoestel te voorschijn. 'Ik heb bewijs!' schreeuwde hij. 'Hierzo!'

De kinderen in de menigte joelden en juichten. Chuck Muckles gezicht werd slap en grijs. Hij stak zijn armen uit en dook op Roy af. 'Laat zien!'

Roy sprong buiten zijn bereik, zette de digitale camera aan en hield zijn adem in. Hij had geen idee wat hij te zien zou krijgen.

Hij drukte op de knop om de eerste foto die Harderhand had genomen, te zien te krijgen. Zodra het vage, onduidelijke beeld in de zoeker verscheen wist Roy dat hij in de problemen zat.

Het was de foto van een vinger.

Ongerust klikte hij naar de tweede opname, en wat hij zag was niet minder ontmoedigend: een vuile blote voet. Zo te zien was het een jongensvoet en Roy wist wel van wie hij was.

Beatrices stiefbroer had veel bijzondere gaven, maar het was duidelijk dat natuurfotografie daar niet bij hoorde.

Wanhopig drukte Roy nogmaals op de knop, en een derde foto kwam in beeld. Dit keer was er beslist *iets* anders dan een menselijk lichaamsdeel zichtbaar – iets vaags met veren, ongelijkmatig verlicht door de flits van de camera.

'Hier!' riep Roy. 'Kijk!'

Chuck Muckle griste de camera uit zijn handen en bestudeerde de foto wel drie volle seconden voor hij in wreed gelach uitbarstte. 'Wat moet dat voorstellen?'

'Dat is een uil,' zei Roy.

En dat was het ook, daar was Roy zeker van. Jammer genoeg moest het dier net met zijn kop hebben gedraaid op het moment dat Harderhand afdrukte.

'Lijkt meer op een kluit modder volgens mij,' zei Chuck Muckle. Hij hield de camera omhoog zodat de mensen in het publiek die helemaal vooraan stonden, de zoeker konden zien. 'Die knaap heeft heel wat fantasie, hè?' vervolgde hij hatelijk. 'Als dat een uil is, ben ik een Amerikaanse zeearend.'

'Het is *echt* een uil!' hield Roy vol. 'En die foto is gisteravond hier op dit terrein genomen.'

'Bewijs dat maar eens,' zei Chuck Muckle triomfantelijk.

Daar had Roy geen antwoord op. Hij kon helemaal niets bewijzen. De camera werd langs de buitenkant van het publiek doorgegeven, en tegen de tijd dat Roy hem terugkreeg wist hij dat de meeste mensen niet eens konden zien dat er een vogel op de foto stond. Zelfs Beatrice wist het niet zeker, ze draaide de zoeker op zijn kant en ondersteboven terwijl ze vergeefs probeerde een herkenbaar stuk uilenanatomie aan te wijzen.

Roy was er kapot van – de foto's die haar broer had genomen, waren waardeloos. De autoriteiten die over de bescherming van de holenuilen gingen zouden de bouw van het pannenkoekenhuis nooit tegenhouden op grond van zulk wazig bewijs.

'Allemaal hartelijk bedankt voor uw komst,' zei Chuck Muckle door zijn megafoon tegen de menigte, 'en ook bedankt voor uw geduld tijdens deze nogal… *ondoordachte* vertraging. We zien u, pannenkoekenliefhebbers, komend voorjaar graag allemaal terug voor een stevige maaltijd. Voor nu is de plechtigheid officieel afgelopen.'

De leerlingen van Trace Middle kwamen onrustig in beweging en keken naar Beatrice en Roy, die niet goed wisten wat ze nu moesten doen. Roy voelde zijn schouders verslagen omlaag zakken terwijl Beatrices gezicht een en al sombere berusting was geworden.

Toen klonk er opeens een jonge stem: 'Wacht even, het is nog niet afgelopen! Bij lange na niet.'

Deze keer was het Roy niet.

'Uh-oh,' zei Beatrice, die haar ogen ten hemel sloeg.

Een meisje ergens achter in de menigte slaakte een gil en meteen keek iedereen om. Op het eerste gezicht had je het voorwerp op de grond voor een voetbal kunnen aanzien, maar in werkelijkheid was het… een jongenshoofd.

Zijn klitterige haar was blond, zijn gezicht was toffeebruin en zijn ogen waren groot en wijdopen. Er liep een vliegertouw van zijn samengeknepen lippen naar het hengsel van een grote metalen emmer, een meter of wat verderop.

De hoge pieten kwamen tussen de mensen door rennen, met Beatrice en Roy op hun hielen. Ze bleven allemaal naar het hoofd op de grond staan gapen.

'Wat nou weer?' kreunde de voorman van de bouw.

Chuck Muckle donderde: 'Wou er iemand een flauwe grap uithalen?'

'Goeie genade,' riep de burgemeester, 'is hij dood?'

De jongen was absoluut niet dood. Hij glimlachte omhoog naar zijn zusje en gaf Roy een sluwe knipoog. Op de een of andere manier had hij zijn hele magere lichaam in de opening van een uilenhol weten te krijgen, zodat alleen zijn hoofd naar buiten stak.

'Hé, Moeder Paula,' zei hij.

De actrice kwam aarzelend dichterbij. Haar pruik zat een beetje scheef en haar make-up begon uit te lopen in de vochtige warmte.

'Wat is er?' vroeg ze, niet op haar gemak.

'Als je die vogels begraaft,' zei Harderhand, 'dan moet je mij ook begraven.'

'Nee, hoor, ik hou van vogels! Alle vogels!'

'Agent Delinko? Waar bent u?' Chuck Muckle wenkte de agent naar voren. 'Arresteer deze brutale kleine gluiperd onmiddellijk.'

'Waarvoor?'

'Voor wederrechtelijk betreden natuurlijk.'

'Maar uw bedrijf heeft in de advertentie gezet dat de feestelijkheden voor iedereen toegankelijk waren,' merkte agent Delinko op. 'Als ik die jongen arresteer, moet ik alle anderen hier op het terrein ook arresteren.'

Roy zag hoe een ader in Chuck Muckles nek opzwol en begon te kloppen als een tuinslang. 'Ik zal het meteen morgenochtend eens met commissaris Deacon over u hebben,' siste hij binnensmonds tegen de agent. 'Dat geeft u één volle nacht de tijd om aan die meelijwekkende cv van u te werken.'

Daarna richtte hij zijn vernietigende blik op de ongelukkige voorman. 'Meneer Branitt, kunt u dit... dit taaie *onkruid* alstublieft uittrekken.'

'Zou ik maar niet proberen,' waarschuwde Beatrices broer met op elkaar geklemde kaken.

'O nee? En waarom niet?' vroeg Chuck Muckle.

De jongen glimlachte. 'Wil je wat voor me doen, Roy? Kijk even wat er in de emmer zit.'

Dat deed Roy met plezier.

'Wat zie je?' vroeg de jongen.

'Watermoccasinslangen,' antwoordde Roy.

'Hoeveel?'

'Negen of tien.'

'Zien ze er tevreden uit, Roy?'

'Niet erg.'

'Wat denk je dat er gebeurt als ik dat ding omkiep?' Met zijn tong liet Harderhand het touwtje zien dat hem met de emmer verbond.

'Dan zou er iemand lelijk gewond kunnen raken,' zei Roy, het spelletje meespelend. Hij was een tikje verrast geweest (maar ook opgelucht) toen hij zag dat de slangen in de emmer van rubber waren.

Chuck Muckle kookte van woede. 'Dit is belachelijk – Branitt, doe wat ik je gezegd heb. Maak dat dat joch uit mijn ogen komt!'

De voorman deinsde achteruit. 'Ik niet. Ik heb het niet zo op slangen.'

'O nee? Dan ben je ontslagen.' Opnieuw richtte de directeur zich tot agent Delinko. 'Maak je eens nuttig. Schiet die rotbeesten dood.'

'Nee, meneer. Niet met al die mensen in de buurt. Veel te gevaarlijk.'

De agent liep naar de jongen toe en liet zich op zijn ene knie zakken.

'Hoe kom jij hier?' vroeg hij.

'Gisteravond over de omheining gesprongen, en toen heb ik me onder de graver verstopt,' antwoordde de jongen. 'Je bent vijf keer vlak langs me gelopen.'

'Ben jij degene die vorige week mijn patrouillewagen vol verf heeft gespoten?'

'Geen commentaar.'

'En die uit het ziekenhuis is weggelopen?'

'Twee keer geen commentaar,' zei de jongen.

'En die zijn groene shirt aan mijn antenne heeft gehangen?'

'Je snapt er niks van, man. De uilen hebben geen kans tegen die machines.'

'Ik snap het *wel*. Eerlijk waar,' zei agent Delinko. 'Nog één vraag: meen je het serieus met die watermoccasins?'

'Zo serieus als een hartaanval.'

'Mag ik eens in de emmer kijken?'

De ogen van de jongen fonkelden. 'Je moet het zelf weten,' zei hij.

'Gauw, we moeten iets doen,' fluisterde Roy tegen Beatrice. 'Die slangen zijn niet echt.'

'O, geweldig.'

Toen de politieagent op de emmer afliep schreeuwde Beatrice: 'Niet doen! Straks wordt u gebeten!'

Agent Delinko vertrok geen spier. Het leek wel een eeuw te duren, vonden Roy en Beatrice, zo lang tuurde hij over de rand.

Dat was het dan, dacht Roy somber. Onmogelijk dat hij niet ziet dat ze nep zijn.

Toch zei de agent geen woord toen hij weer achteruitliep, bij de emmer vandaan.

'En?' vroeg Chuck Muckle. 'Wat doen we?'

'Dat joch meent het serieus. Als ik u was, zou ik onderhandelen,' zei agent Delinko.

'Ha! Ik onderhandel niet met jonge boefjes.' Grommend greep Chuck Muckle de goudgeverfde schop uit de handen van raadslid Grandy en liep op de emmer af.

'Niet doen!' brulde de jongen in het uilenhol, het touw uitspugend.

Maar de man van Moeder Paula was niet te stoppen. Met een woeste zwaai van zijn schop gooide hij de emmer om en schuimbekkend van woede begon hij blindelings op de slangen in te hakken. Hij hield pas op toen ze in stukken waren.

Kleine stukken rubber.

Uitgeput hing Chuck Muckle voorover en tuurde naar de mishandelde speelgoedslangen. Op zijn gezicht stond zowel ongeloof als vernedering te lezen.

'Wat krijgen we nou?' hijgde hij.

Tijdens de gewelddadige aanval op de watermoccasins hadden er *ooohs* en *aaahs* uit de menigte opgeklonken. Het enige dat je nu nog hoorde, was het *klik-klik-klik* van de camera van de persfotograaf en het gehijg van de directeur van Moeder Paula.

'Hé, die beesten zijn nep!' piepte Curly. 'Het zijn geeneens echte!'

Roy boog zich naar Beatrice en fluisterde: 'Wat een genie.'

Chuck Muckle draaide zich in slow motion om. Dreigend wees hij met het blad van de schop naar de jongen in het uilenhol.

'Jij!' brulde hij, op hem af benend.

Roy sprong voor hem.

'Maak dat je wegkomt, jong,' zei Chuck Muckle. 'Ik heb geen tijd voor nog meer van die onzin. Wegwezen, *nu!*'

Het was duidelijk dat de grote baas van Moeder Paula zijn zelfbeheersing volledig kwijt was, en de kluts misschien ook wel.

'Wat bent u van plan?' vroeg Roy, al wist hij dat hij geen kalm, geduldig antwoord hoefde te verwachten.

'Ik zei: maak dat je *wegkomt!* Ik ga die kleine klier zelf wel uitgraven.'

Beatrice Leep rende naar voren en kwam naast Roy staan; ze pakte zijn rechterhand. Er ging een bezorgd gemompel door de menigte.

'O o, wat schattig. Net Romeo en Julia,' zei Chuck Muckle spottend. Hij liet zijn stem zakken en ging verder: '*Game over*, kinderen. Ik tel tot drie en dan ga ik die schop gebruiken – of nog beter, wat zou je ervan zeggen als ik die kaalkop hier liet komen met de bulldozer?'

De voorman trok een nijdig gezicht. 'Ik dacht dat u zei dat ik ontslagen was.'

Vanuit het niets greep opeens iemand Roys linkerhand beet – het was Garrett, zijn skateboard onder zijn arm geklemd. Drie van zijn skateboardvrienden stonden naast hem.

'Wat doen jullie hier?' vroeg Roy.

'We zijn aan het spijbelen,' antwoordde Garrett vrolijk, 'maar dit lijkt me veel geiniger, man.'

Toen Roy naar de andere kant keek zag hij dat Beatrice versterking had gekregen van het hele voetbalteam, arm in arm in een zwijgende keten. Het waren lange, sterke meisjes, die niet in het minst onder de indruk waren van Chuck Muckles brallerige dreigementen.

Dat had Chuck Muckle ook door. 'Hou toch op met die onzin!' smeekte hij. 'Het is nergens voor nodig er een volksoproer van te maken.'

Roy keek verwonderd toe hoe steeds meer kinderen uit de menigte glipten en elkaar een hand gaven, zodat ze een menselijke barricade rond Beatrices zelfbegraven stiefbroer vormden. Niemand van de ouders maakte aanstalten hen tegen te houden.

De cameraman van de tv-ploeg kondigde aan dat de demonstratie live werd uitgezonden in het nieuws van twaalf uur, terwijl de persfotograaf naar voren schoot voor een close-up van Chuck Muckle, die er doodmoe, verslagen en plotseling erg oud uitzag. Hij leunde op zijn vergulde schop alsof het een wandelstok was. 'Hebben jullie me dan geen van allen gehoord?' bracht hij uit. 'De plechtigheid is afgelopen! Voorbij! Iedereen kan naar huis.'

De burgemeester, raadslid Grandy en de man van de kamer van koophandel trokken zich stilletjes terug in hun limousine, terwijl Leroy Branitt wegslenterde naar zijn bouwkeet, op zoek naar een koel biertje. Agent Delinko leunde tegen de omheining en schreef een rapport.

Roy verkeerde in een onwerkelijke maar serene roes.

Een meisje begon te zingen, een oude hit die iedereen wel kende: 'With a little help from my friends.' Het was nota bene Beatrice, en ze had een verrassend mooie en zachte stem. Het duurde niet lang of de andere kinderen zongen mee. Roy sloot zijn ogen en had het gevoel dat hij op de zonnige glooiing van een wolk dreef.

'Hé, kanjer, kan er nog iemand tussen?'

Roy deed zijn ogen open, knipperde en begon te grijnzen.

'Ja, mevrouw,' zei hij.

Moeder Paula kwam tussen hem en Garrett in de kring staan. Ze had een schorre stem, maar ze kon prima wijs houden.

De demonstratie ging nog een uur lang door. Er verschenen nog twee tv-ploegen en ook een paar extra patrouillewagens van de politie van Coconut Cove, die agent Delinko had opgeroepen.

Chuck Muckle spoorde de pas gearriveerde politiemensen aan de demonstranten te arresteren voor wederrechtelijk betreden, spijbelen en ordeverstoring. Die suggestie werd resoluut verworpen en een brigadier vertelde dat het niet goed zou zijn voor het imago van de afdeling openbare veiligheid als er een groep scholieren in de handboeien werd geslagen.

De situatie bleef redelijk stabiel tot de opzienbarende komst van Lonna Leep, die haar zoon op het nieuws op de tv had ontdekt. Ze had zich uitgedost of ze voor een feest was uitgenodigd en ze was niet bepaald cameraschuw. Roy hoorde haar aan een verslaggever vertellen hoe trots ze op haar jongen was, die zijn vrijheid op het spel zette om die arme, hulpeloze uiltjes te redden.

'Mijn dappere kleine kampioen!' kraaide Lonna. Het klonk gruwelijk.

Met deze gemaakt liefhebbende kreet liep ze op de menselijke muur af die haar zoon omringde. Beatrice gaf iedereen opdracht de armen stevig in elkaar te haken, zodat Lonna er niet door kon. Eén hachelijk moment stonden Lonna en haar stiefdochter elkaar dreigend aan te staren, oog in oog, alsof ze elkaar elk moment konden aanvliegen. Garrett maakte een eind aan de impasse door een gigantische nepscheet te laten horen, zodat Lonna ontzet achteruitdeinsde.

Roy gaf Beatrice een por. 'Kijk daarboven eens!'

Boven hun hoofd vloog een kleine donkergekleurde vogel in schitterende, gewaagde spiralen. Roy en Beatrice keken verrukt toe terwijl hij lager en lager gleed, eindigend met een scherpe duik naar het hol midden in de kring.

Iedereen draaide zich om om te zien waar de vogel was geland.

Plotseling verstomde het gezang.

Daar was Harderhand, die zijn best deed om niet te giechelen, met het stoutmoedige uiltje kalm boven op zijn hoofd.

'Maak je maar geen zorgen, ukkie,' zei de jongen. 'Voorlopig ben je veilig.'

EENENTWINTIG

Napoleon?

'Napoleon Bridger.' Roy las de naam hardop voor.

'Het is in elk geval kleurrijk,' merkte zijn moeder op.

Ze zaten aan de ontbijttafel. Mevrouw Eberhardt knipte zorgvuldig artikelen en foto's uit de ochtendkrant.

Op de voorpagina stond een foto van Roy, Beatrice en Moeder Paula hand in hand in de kring demonstranten. Op de achtergrond was het hoofd van Beatrices broer te zien; het leek net een kokosnoot met een blond toupetje.

Uit het onderschrift bij de foto bleek dat Moeder Paula actrice en voormalig schoonheidskoningin was en Kimberly Lou Dixon heette. Beatrices broer werd omschreven als Napoleon Bridger Leep.

'Is hij nu weer thuis?' vroeg Roys moeder.

'Ik weet niet of hij het zelf ook zo zou noemen,' zei Roy, 'maar hij is weer bij zijn moeder en stiefvader.'

Te midden van de scholierendemonstratie had Lonna Leep er een huilerige, zielige vertoning van gemaakt en geëist dat ze met haar zoon herenigd zou worden. Politieagenten die niet beter wisten hadden haar vanuit de menigte naar Harderhand geleid, waarop het dappere uiltje geschrokken bij de jongen vandaan was gevlogen.

'Mijn kampioen! Mijn dappere kleine held!' had Lonna voor de camera's gezwijmeld, terwijl hij zich uit het hol wurmde. Roy en Beatrice hadden hulpeloos en vol afkeer moeten aanzien hoe ze

Harderhand smoorde in een verstikkende, melodramatische omhelzing.

Mevrouw Eberhardt knipte de krantenfoto uit waarop Lonna poseerde met de jongen, die eruitzag of hij zich bijzonder slecht op zijn gemak voelde.

'Misschien gaat het nu beter tussen die twee,' zei ze hoopvol.

'Nee, mam. Ze wilde alleen maar op tv komen.' Roy pakte zijn rugzak. 'Ik moet weg.'

'Je vader wil je voor school nog spreken.'

'O.'

Meneer Eberhardt had de vorige avond overgewerkt. Tegen de tijd dat hij thuiskwam had Roy al in bed gelegen.

'Is hij kwaad?' vroeg Roy.

'Dat geloof ik niet. Kwaad waarover?'

Roy wees naar de krant, vol uitgeknipte vierkantjes. 'Over wat er gisteren gebeurd is. Over wat Beatrice en ik gedaan hebben.'

'Jullie hebben de wet niet overtreden, liever. Jullie hebben niemand kwaad gedaan,' zei mevrouw Eberhardt. 'Het enige dat jullie hebben gedaan was opkomen voor wat in jullie ogen juist was. Dat respecteert je vader.'

Roy wist dat 'respecteren' niet noodzakelijkerwijs hetzelfde was als 'goedkeuren'. Hij vermoedde wel dat zijn vader in de uilenkwestie met hen meevoelde, maar dat had meneer Eberhardt nooit met zoveel woorden gezegd.

'Is Moeder Paula nog steeds van plan het pannenkoekenhuis te bouwen, mam?'

'Dat weet ik niet, Roy. Toen een journaliste die vraag stelde, schijnt die Muckle-figuur woedend te zijn geworden en geprobeerd te hebben haar te wurgen.'

'Ga weg!' Roy en Beatrice waren vertrokken voor de geïmproviseerde persconferentie was afgelopen.

Mevrouw Eberhardt hield het knipsel omhoog. 'Hier staat het.'

Roy kon haast niet geloven dat de krant zoveel ruimte aan de uilendemonstratie had besteed. Het moest de grootste gebeurtenis in Coconut Cove zijn geweest sinds de laatste orkaan.

Zijn moeder zei: 'De telefoon is al vanaf zes uur vanochtend aan het rinkelen. Ik moest hem van je vader van de haak leggen.'

'Het spijt me ontzettend, mama.'

'Doe niet zo mal. Ik maak er een heel plakboek van, lieverd, dan heb je iets om later aan je kinderen en kleinkinderen te laten zien.'

Ik zou hun liever de uiltjes laten zien, dacht Roy, als er tegen die tijd nog over zijn.

'Roy!'

Dat was zijn vader, die hem riep vanuit zijn studeerkamer. 'Kun jij alsjeblieft even opendoen?'

Er stond een magere jonge vrouw met kortgeknipt zwart haar voor de deur, gewapend met een blocnote en een balpen.

'Hallo, ik ben van de *Gazette*,' kondigde ze aan.

'Bedankt, maar we zijn al abonnee.'

De vrouw lachte. 'Nee, ik verkoop de krant niet. Ik schrijf hem.' Ze stak haar hand uit. 'Kelly Colfax.'

In haar nek zag Roy enkele blauwige plekken zo groot als vingerafdrukken, die leken op de kneuzingen die Dana Matherson hem had bezorgd. Hij begreep dat Kelly Colfax de journaliste was die Chuck Muckle had willen wurgen.

'Ik zal mijn vader halen,' zei hij.

'O, dat hoeft niet. Jij bent degene die ik wilde spreken,' zei ze. 'Jij *bent* toch Roy Eberhardt, hè?'

Roy voelde zich in het nauw gedreven. Hij wilde niet onbeleefd zijn, maar hij wilde beslist niets zeggen wat Harderhand nog meer moeilijkheden kon bezorgen.

Kelly Colfax begon vragen af te vuren:

'Hoe ben jij bij de demonstratie betrokken geraakt?'

'Ben je een vriend van Napoleon Bridger Leep?'

'Hadden jullie tweeën iets te maken met dat vandalisme op het terrein van Moeder Paula?'

'Hou je van pannenkoeken? Van wat voor pannenkoeken?'

Het duizelde Roy. Ten slotte onderbrak hij haar en zei: 'Hoor eens, ik ben er alleen maar heen gegaan om voor de uiltjes op te komen. Dat is alles.'

Terwijl de journaliste zijn woorden noteerde zwaaide de deur open, en daar stond meneer Eberhardt – geschoren, gedoucht en keurig gekleed in een van zijn grijze pakken.

'Pardon, mevrouw, mag ik even een woordje wisselen met mijn zoon?'

'Uiteraard,' zei Kelly Colfax.

Meneer Eberhardt nam Roy mee naar binnen en deed de deur dicht. 'Je hoeft geen vragen van haar te beantwoorden, Roy.'

'Maar ik wil alleen dat ze weet –'

'Hier. Geef haar dit maar.' Roys vader klikte zijn aktetas open en haalde er een dikke map uit.

'Wat is dat?'

'Dat merkt ze wel.'

Roy sloeg de map open en begon te grijnzen. 'Dit is het dossier uit het gemeentehuis, hè?'

'Een kopie,' zei zijn vader. 'Dat klopt.'

'Dat ene met al die dingen over Moeder Paula. Ik heb geprobeerd het te pakken te krijgen, maar het was er niet,' zei Roy. 'Nu weet ik waarom.'

Meneer Eberhardt vertelde dat hij het dossier had geleend, het blad voor blad had gekopieerd en toen met het materiaal naar een paar juristen was gestapt die veel verstand van milieuzaken hadden.

'En heeft Moeder Paula nu vergunning om de uilenholen dicht te gooien of niet?' vroeg Roy. 'Stond dat in het dossier?'

Zijn vader schudde zijn hoofd. 'Geen vergunning.'

Roy was dolblij, maar ook verbaasd. 'Maar pap, moet je dit dan niet aan iemand van de politie geven? Waarom wil je dat ik het aan de krant geef?'

'Omdat er iets is wat iedereen in Coconut Cove moet weten.' Meneer Eberhardt praatte op gedempte, vertrouwelijke toon. 'Eigenlijk gaat het meer om iets wat er *niet* is.'

'Vertel op,' zei Roy, en dat deed zijn vader.

Toen Roy de voordeur weer opendeed, stond Kelly Colfax opgewekt glimlachend te wachten. 'Kunnen we verder met ons interview?'

Roy lachte vrolijk terug. 'Sorry, maar ik moet echt nodig naar school.' Hij stak haar het dossier toe. 'Hier. Hier hebt u misschien iets aan voor uw verhaal.'

De journaliste klemde haar blocnote onder haar arm en greep de map uit Roys handen. Terwijl ze de documenten doorbladerde, veranderde de opwinding op haar gezicht in frustratie. 'Wat heeft dit allemaal te betekenen, Roy? Waar zoek ik precies naar?'

'Ik geloof dat het een V.C.M. heet,' zei Roy, herhalend wat zijn vader had gezegd.

'En dat staat voor...'

'Verklaring omtrent Consequenties voor het Milieu.'

'O ja! Natuurlijk,' zei de journaliste. 'Voor ieder groot bouwproject hoort er een opgesteld te worden. Dat is de wet.'

'Ja, maar Moeder Paula's V.C.M. zit er niet bij.'

'Ik kan je niet volgen, Roy.'

'Hij *hoort* in dat dossier te zitten,' zei hij, 'maar hij zit er niet in. Dat betekent dat het bedrijf er nooit een heeft opgesteld – of dat ze hem expres zijn kwijtgeraakt.'

'Aha!' Kelly Colfax zag eruit of ze zojuist de loterij had gewonnen. 'Dank je wel, Roy,' zei ze. Met allebei haar armen rond de map geslagen liep ze de veranda af. 'Heel, heel erg bedankt.'

'Mij hoef je niet te bedanken,' mompelde Roy. 'Bedank mijn vader maar.'

Die dus ook om de uilen gaf.

EPILOOG

In de loop van de daaropvolgende weken groeide het verhaal over Moeder Paula uit tot een enorm schandaal. De ontbrekende Verklaring omtrent Consequenties voor het Milieu haalde de voorpagina van de *Gazette* en bleek uiteindelijk de doodklap voor het pannenkoekenhuis-project.

Er bleek wel degelijk een V.C.M. opgesteld te zijn, en de biologen van het bedrijf hadden opgetekend dat er drie paartjes holenuilen op het terrein zaten. In Florida werden die vogels beschermd als bedreigde diersoort, en als hun aanwezigheid op het terrein van Moeder Paula algemeen bekend was geworden zou dat ernstige problemen met de wet tot gevolg hebben gehad – en een ramp op pr-gebied.

Daarom was de V.C.M. gemakshalve maar uit het gemeentearchief verdwenen. Het rapport dook later op in een golftas die het eigendom was van raadslid Bruce Grandy, samen met een envelop waarin ongeveer $ 4500 aan contant geld zat. Raadslid Grandy ontkende verontwaardigd dat het geld een omkoopbedrag van de pannenkoekenmensen was; daarna ging hij er meteen op uit om de duurste advocaat in Fort Myers te huren.

Intussen zette Kimberly Lou Dixon een punt achter haar tv-optreden als Moeder Paula; ze verklaarde niet te willen werken voor een bedrijf dat jonge uiltjes begroef, alleen maar om een paar pannenkoeken te verkopen. Het hoogtepunt van haar in tranen afgelegde verklaring was het moment waarop ze haar lidmaatschapskaart-voor-het-leven van de vereniging voor natuurbescherming liet zien – een moment dat werd vastgelegd door *Entertainment Tonight, Inside Hollywood* en het tijdschrift *People*, dat ook de foto plaatste van Kimberly Lou, Roy en Beatrice hand in hand bij de uilendemonstratie.

Dat was meer aandacht van de media dan Kimberly Lou Dixon had gekregen als bijna-Miss Amerika, of zelfs als toekomstige ster van *Invasie van de Mutanten van Jupiter Zeven*. Roys moeder hield de opbloeiende carrière van de actrice bij in de showbizz-artikelen, waar werd gemeld dat ze een contract had getekend om in de volgende film van Adam Sandler te spelen.

Daarentegen was de uilenpubliciteit een nachtmerrie voor Moeder Paula's Oud-Amerikaanse Pannenkoekenhuis N.V., dat zichzelf op de voorpagina van het *Wall Street Journal* aantrof als onderwerp van een weinig vleiend artikel. Onmiddellijk kelderden de aandelen van het bedrijf.

Nadat hij tijdens het officiële begin van de bouw zo door het lint was gegaan werd Chuck E. Muckle gedegradeerd tot de functie van assistent-onderdirecteur. Hoewel hij geen gevangenisstraf kreeg voor het bijna-wurgen van de journaliste, werd hij verplicht een cursus 'Omgaan met je woede' te volgen, waarvoor hij zakte. Korte tijd later nam hij ontslag bij het pannenkoekenhuis en vond een baan als cruiseleider in Miami.

Moeder Paula had uiteindelijk geen andere keus dan het plan voor een restaurant op de hoek van East Oriole en Woodbury te laten varen. Daar waren de irritante krantenkoppen over de vermiste V.C.M., het gênante vertrek van Kimberly Lou Dixon, de tv-beelden van Chuck Muckle die Kelly Colfax de keel dichtkneep… en dan natuurlijk ook nog die verdraaide uilen.

Iedereen wond zich op over de uilen.

NBC en CBS hadden cameraploegen naar Trace Middle School gestuurd om met de demonstrerende scholieren te praten, en ook met docenten. Roy bleef op de achtergrond, maar later hoorde hij van Garrett dat juffrouw Hennepin een interview had gegeven waarin ze de leerlingen prees die aan de demonstratie tijdens de middagpauze hadden deelgenomen, en beweerde dat ze hen had aangemoedigd eraan mee te doen.

Hij keek die avond niet naar het journaal, maar zijn moeder kwam bij hem binnenvallen om te zeggen dat Tom Brokaw het over Beatrice en hem had. Ze waren nog net op tijd in de woonkamer terug om de president-directeur van Moeder Paula te horen beloven dat het terrein in Coconut Cove een permanent reservaat voor holenuilen zou worden en dat het bedrijf $ 50.000 aan natuurbehoud zou schenken.

'We willen al onze klanten verzekeren dat de bescherming van ons milieu Moeder Paula zeer ter harte blijft gaan,' zei hij, 'en we betreuren het ten zeerste dat het onzorgvuldige optreden van enkele voormalige werknemers en aannemers deze unieke vogeltjes mogelijk in gevaar heeft gebracht.'

'Wat een gezeik,' mompelde Roy.

'Roy Andrew Eberhardt!'

'Sorry, mam, maar die vent staat te liegen. Hij wist van de uilen af. Ze wisten allemaal van de uilen af.'

Meneer Eberhardt zette het geluid van de tv uit. 'Roy heeft gelijk, Lizzy. Ze zijn zich alleen maar aan het indekken.'

'Hoe dan ook, het belangrijkste is dat jij iets hebt *gedaan*,' zei Roys moeder. 'De vogels zijn veilig voor de pannenkoekenmensen. Je zou een gat in de lucht moeten springen!'

'Dat doe ik ook wel,' zei Roy, 'maar ik ben niet degene die de uilen gered heeft.'

Meneer Eberhardt kwam naar hem toe en legde een hand op zijn schouder. 'Jij hebt gezorgd dat het bekend werd, Roy. Zonder jou zou niemand hebben geweten wat er aan de hand was. Er zou niemand zijn komen opdagen om tegen het graafwerk te protesteren.'

'Ja, maar het is allemaal op gang gekomen door Beatrices broer,' zei Roy. 'Hem zouden ze bij Peter Brokaw of weet-ik-waar moeten hebben. Het was allemaal zijn idee.'

'Dat weet ik, lieverd,' zei mevrouw Eberhardt, 'maar hij is verdwenen.'

Roy knikte. 'Daar ziet het wel naar uit.'

Harderhand had het nog geen achtenveertig uur met Lonna onder één dak uitgehouden, en het grootste deel daarvan had zijn moeder aan de telefoon gehangen in een poging nog meer tv-interviewers op te trommelen. Lonna had erop gerekend dat haar zoon de familie Leep in de schijnwerpers zou houden, maar dat was wel de laatste plaats waar de jongen wilde zijn.

Met hulp van Beatrice was hij het huis uitgeslopen terwijl Lonna en Leon ruzie maakten over een nieuwe jurk die Lonna voor zevenhonderd dollar had gekocht in afwachting van haar optreden in de *Oprah Winfrey Show*. Er had niemand van Oprahs programma teruggebeld, en daarom had Leon geëist dat ze de jurk terugbracht en haar geld terugvroeg.

Toen het geschreeuw van de Leeps ongeveer het aantal decibels van een B-52 bereikte, liet Beatrice haar stiefbroer uit het badkamerraam zakken. Helaas zag een nieuwsgierige buurvrouw de ontsnapping voor een poging tot inbraak aan en belde de politie. Harderhand kwam maar twee straten ver voor hij door haastig gearriveerde patrouillewagens werd omsingeld.

Lonna was woedend geweest toen ze hoorde dat haar zoon zijn oude gewoonte om ervandoor te gaan weer had opgepakt. Uit nijd had ze de agenten verteld dat hij een waardevolle teenring uit haar sieradenkistje had gestolen, en geëist dat ze hem in een jeugdinrichting opsloten om hem een lesje te leren.

Daar had de jongen het maar zeventien uur uitgehouden voor hij ontsnapte, dit keer met een weinig voor de hand liggende medeplichtige.

Toen hij zich samen met zijn nieuwe beste vriend in de wasmand verstopte, had Dana Matherson ongetwijfeld niet het flauwste vermoeden dat hij speciaal was uitgekozen om mee uit te breken, dat dat magere blonde joch precies wist wie hij was en welke gemene streken hij Roy Eberhardt allemaal had geleverd.

Omdat hij nu eenmaal een simpele ziel was, had Dana waarschijnlijk alleen maar gedacht ongelooflijk veel geluk te hebben toen de wasmand in de truck van de wasserij werd geladen, die daarna door de poort van de inrichting naar buiten reed. Zelfs van de naderende sirenes was hij waarschijnlijk niet ongerust geworden, tot de truck remde en de achterdeuren openvlogen.

Dat was het moment dat de twee jonge vluchtelingen uit de stinkende berg vuile kleren sprongen en ervandoor gingen.

Toen Roy het verhaal later van Beatrice hoorde, snapte hij meteen waarom haar broer Dana Matherson als partner bij zijn ontsnapping had gekozen. Harderhand was snel en glibberig, terwijl Dana log was, en een slechte loper, en bovendien nog niet helemaal genezen van zijn ontmoeting met de rattenvallen.

De ideale bliksemafleider – dat was Dana.

En inderdaad had de politie de grote lummel met gemak ingehaald, al schudde hij twee agenten af voor hij ten slotte getackeld werd en de handboeien om kreeg. Tegen die tijd was Beatrices broer al een vlekje in de verte, een bronskleurig sprietje dat tussen de dichte bomen verdween.

De politie vond hem niet meer terug en deed daar ook weinig moeite voor. Dana was de grote vangst, die met het strafblad en de grote mond.

Ook Roy kon Harderhand niet vinden. Al vele keren was hij naar het autokerkhof gefietst en had hij in Jo-Jo's ijswagen gekeken, maar die was elke keer leeg. Op een dag was de ijswagen zelf ook verdwenen, weggesleept en samengeperst tot een roestig blok oud ijzer.

Beatrice wist waar haar broer zich verstopte, maar hij had haar laten zweren het niet te verklappen. 'Sorry, Tex,' had ze tegen Roy gezegd, 'maar ik heb het plechtig beloofd.'

Dus ja, de jongen was verdwenen.

En Roy wist dat hij Napoleon Bridger nooit meer zou zien, tenzij die zelf gezien wilde worden.

'Hij redt het wel. Hij is een overlever,' zei hij om zijn moeder gerust te stellen.

'Ik hoop dat je gelijk hebt,' zei ze, 'maar hij is nog zo jong –'

'Hé, ik heb een idee.' Roys vader rinkelde met zijn autosleutels. 'Laten we een stukje gaan rijden.'

Toen ze bij de hoek van Woodbury en East Oriole kwamen, stonden er al twee andere voertuigen bij het hek geparkeerd. Het ene was een politieauto, het andere een blauwe pick-uptruck; Roy herkende ze allebei.

Agent David Delinko was langsgekomen op weg naar huis vanaf het politiebureau, waar hij alweer een positieve aantekening van de commissaris had gekregen – dit keer voor zijn hulp bij het opnieuw aanhouden van Dana Matherson.

Leroy 'Curly' Branitt, die tijdelijk zonder werk zat, had zijn vrouw en zijn schoonmoeder naar het winkelcentrum gebracht en toen besloten een korte omweg te maken.

Net als de Eberhardts waren ze gekomen om de uiltjes te zien.

Terwijl de schemering viel, stonden ze in vriendschappelijke, ongedwongen stilte te wachten, hoewel er meer dan genoeg dingen waren waarover ze hadden kunnen praten. Behalve aan de omheining met zijn verblekende slingers kon je nergens meer aan zien dat de pannenkoekenmensen er ooit waren geweest. Curly's bouwkeet was weggesleept, de graafmachines waren weggehaald en de pleemobielen waren terug naar het toilettenverhuurbedrijf. Zelfs de piketpaaltjes waren weg, uitgetrokken en met het afval meegegeven.

Langzamerhand begon het gezoem van krekels de avondlucht te vullen en Roy glimlachte in zichzelf toen hij terugdacht aan het doosjevol dat hij daar had losgelaten. Het was wel duidelijk dat de uiltjes genoeg andere insecten te eten hadden.

Het duurde niet lang of er dook een uilenpaartje op uit een hol vlakbij. Ze werden gevolgd door een jong op wiebelige pootjes, dat er net zo breekbaar uitzag als kerstversiering.

Precies tegelijk draaiden de uilen hun kopjes rond om naar de mensen te staren die naar hen staarden. Roy vroeg zich af wat ze dachten.

'Ik moet toegeven,' bromde Curly vertederd, 'dat ze toch wel lollig zijn.'

Op een zaterdag, nadat het schandaal rond Moeder Paula was bedaard, ging Roy naar een voetbalwedstrijd van Beatrice en haar vriendinnen kijken. Het was een drukkend hete middag, maar Roy had zich erbij neergelegd dat er in Zuid-Florida geen verschillende seizoenen waren, alleen maar lichte variaties in zomer.

En hoewel hij de frisse herfst van Montana miste, merkte hij dat hij steeds minder vaak over dat gebied dagdroomde. Die zaterdag zag het groene voetbalveld er in het felle zonlicht uit als een tapijt van neon en Roy was blij dat hij zijn T-shirt kon uittrekken om in de zon te bakken.

Beatrice maakte drie doelpunten voor ze hem languit op de tribune zag hangen. Toen ze zwaaide, stak Roy allebei zijn duimen naar haar op en grinnikte.

De hoogstaande zon en de vochtige hitte deden Roy aan een andere mooie middag denken, niet zo lang geleden, op een plek niet ver daarvandaan. Nog voor de voetbalwedstrijd was afgelopen greep hij zijn shirt en glipte weg.

Het was maar een klein eindje fietsen van het voetbalveld naar de verborgen kreek. Roy zette zijn fiets vast aan een kromme oude boomstronk en baande zich een weg door de wirwar van takken. Het was heel hoog tij en er stak alleen een verweerde punt van de stuurhut van de *Molly Bell* boven de waterlijn uit. Roy hing zijn gympies aan een gevorkte tak en zwom naar het wrak, voortgestuwd door de warme stroming.

Met beide handen greep hij de dakrand van de stuurhut en hij hees zichzelf boven op het kromgetrokken kale hout. Er was nauwelijks genoeg ruimte om droog te kunnen zitten.

Roy ging op zijn buik liggen, knipperde het zout uit zijn ogen en wachtte. De stilte vouwde zich als een zachte deken om hem heen. Eerst ontdekte hij de T-vormige schaduw van de visarend die over het lichtgroene water onder hem vloog. Daarna kwam de witte reiger, laag glijdend en vergeefs op zoek naar een ondiepe strook waar hij kon staan. Na een poosje streek de vogel neer in het midden van een zwarte mangrove, snaterend van ergernis over het hoge tij.

Zijn sierlijke gezelschap was welkom, maar Roy bleef naar de kreek turen. Het gespetter van een tarpon die stroomopwaarts aan het eten was, waarschuwde hem – en ja hoor, het wateroppervlak begon te trillen en te kolken. Binnen enkele ogenblikken kwam er plotseling een school harder omhoog, gladde staven zilver die keer op keer boven water schoten.

Op het dak van de stuurhut schoof Roy naar voren zover hij durfde; hij liet zijn armen omlaag hangen. De harders hielden op met springen maar groepeerden zich in een V-vormige eenheid, die een nerveuze rimpeling over het midden van de kreek trok, in de richting van de *Molly Bell*. Algauw werd het water onder Roy donkerder en kon hij de stompe koppen van de afzonderlijke vissen onderscheiden, elk fanatiek zwemmend voor zijn leven.

Toen de school de gezonken krabbenboot naderde, week hij zo scherp uiteen alsof hij door een sabel gespleten werd. Snel koos Roy één vis uit en gevaarlijk over de rand hangend stak hij zijn handen in de stroom.

Eén opwindend ogenblik lang voelde hij de vis werkelijk in zijn greep – zo koel en glad en magisch als kwik. Hij kneep zijn vingers tot vuisten, maar de harder schoot met gemak los en maakte één sprong voor hij zich weer aansloot bij de vluchtende school. Roy ging overeind zitten en keek naar zijn druipende, lege handen.

Onmogelijk, dacht hij. *Niemand* kan een van die verrekte beesten met zijn blote handen vangen, zelfs Beatrices broer niet. Het moest een truc zijn geweest, een slimme vorm van bedrog.

Er klonk een geluid dat op lachen leek uit de dichte, knoestige mangroven. Roy nam aan dat het de reiger was, maar toen hij opkeek zag hij dat de vogel verdwenen was. Langzaam stond hij op en hield zijn hand boven zijn ogen tegen de felle zon.

'Ben jij dat?' schreeuwde hij. 'Napoleon Bridger, ben jij dat?'

Niets.

Roy wachtte en wachtte, tot de zon laag zakte en de kreek in schaduwen gehuld was. Er klonk geen gelach meer vanuit de bomen. Met tegenzin liet Roy zich van de *Molly Bell* glijden en door het afnemende tij naar de oever dragen.

Als een robot trok hij zijn kleren weer aan, maar toen hij zijn schoenen wilde pakken zag hij dat er nog maar eentje aan de gevorkte tak hing. Zijn rechtergymp was weg.

Hij trok de linkergymp aan en ging hinkelend op zoek naar de andere. Algauw vond hij hem half ondergedompeld in het ondiepe water onder de takken; hij nam aan dat hij gevallen was.

Maar toen hij zich bukte om de schoen op te rapen wilde hij niet loskomen. De veters zaten stevig om een met zeepokken begroeide wortel gewonden.

Met trillende vingers maakte hij de zorgvuldig geknoopte mastworpen los. Hij tilde het doorweekte gympie op en keek erin.

Daar ontdekte hij een harder niet groter dan een wijsvinger, die flapperend en spetterend tegen zijn gevangenschap protesteerde.

Roy kiepte de jonge vis in zijn hand en waadde dieper de kreek in. Voorzichtig legde hij de harder weer in het water, waar het dier nog één keer flitste en toen bliksemsnel verdween.

Roy bleef roerloos staan, aandachtig luisterend, maar het enige dat hij hoorde was het gezoem van muggen en het zachte gefluister van het tij. De rennende jongen was alweer weg.

Terwijl Roy zijn andere gymp aantrok lachte hij in zichzelf.

Dus de indrukwekkende hardergreep-met-blote-handen was geen truc. Het was dus toch niet onmogelijk.

Dan moet ik nog maar eens terugkomen om het opnieuw te proberen, dacht hij. Dat is wat een echte jongen uit Florida zou doen.